ROMANA

Leni Saris

Romana

Oorspronkelijke druk 1985
Eerste druk in deze uitgave 1997

NUGI 342
ISBN 90.205.2434.8

Omslagillustratie: Herson

HOOFDSTUK 1

Romana Paluda, stewardess bij 'een belangrijke luchtvaartmaatschappij in Nederland', zoals de T.V. het ons, op bevel van hogerhand, zo roerend en welbegrepen voorhoudt, liep de warme, lichte hal uit en zette met een zuur gezicht de kraag van haar regenjas op tot over haar oren.
„Regen, het zal niet waar zijn!" dacht ze op weg naar haar kleine rode Bianchi. Ze klopte het trouwe wagentje dankbaar op zijn flank, waarna ze met een zucht van verlichting naar binnen dook, een krachtterm smorend omdat haar grote blauwe reistas achter de deur bleef haken.
„Dat was puur Hollands," zei een mannenstem. Ze hoorde een schaterlach en zag een lange figuur haastig voorbijschieten.
Romana klapte het portier dicht en maakte dat ze wegkwam, hopend dat 'de figuur' een volslagen onbekende was geweest. Het paste niet dat keurige stewardessen in zulke onheuse termen als zij had gebruikt, hun ongenoegen de regenachtige wereld inslingeren. Nou ja, ze was moe en ook nog koud. Gauw naar huis, naar 'moeder Kyra' Nog steeds genoot ze er geweldig van heel gewoon 'thuis' te komen en niet op een eenzame kamer, waar ze meteen aan het werk zou moeten. Bovendien was ze nu eenmaal een familiemens, waarschijnlijk door de buitengewone omstandigheden. Haar ouders zag ze maar zelden en het heimwee ging nooit helemaal over. Ze schrok op. Het was beslist verstandiger, als je al vermoeid was, ook nog niet eens te gaan zitten dubben over je familie. Ze kon nog maar net op tijd remmen en miste gelukkig de achterkant van een bij het stoplicht staande Mercedes. Bijna een crash, dacht ze in vliegtuigtermen, wat haar niet kwalijk te nemen viel.
Drie kwartier later reed ze haar wagentje het tuinpad op en aarzelde even. Kon ze de wagen wel achter de grote donkerblauwe slee van haar oom zetten? Hij was geneesheer-directeur van het plaatselijke ziekenhuis en zelden thuis. Als ze haar wagen achter de zijne parkeerde, maakte ze een goede kans, dat hij dadelijk weg moest en ze weer in de regen naar buiten moest om eerst Bianchi weg te halen. Ze had er gewoon geen zin in.
Lon, de jongste dochter van Kyra en Michael, die in Oostenrijk woonde maar bij haar moeder logeerde, verscheen in de deuropening.
„Zeg, kwieke schiet eens op. Blijf je daar wonen?" riep ze. „Zou je

me niet eens komen begroeten? Ik ben gistermiddag gearriveerd. Papa zegt dat hij niet weghoeft en je kunt je karretje rustig laten staan, kom je?" Romana liep naar binnen en voelde zich meteen omsloten door de warmte van het gezin waarin ze al zoveel jaren thuishoorde; ze had nooit anders gekend.
Kyra van Donckeren, lang, slank, nog altijd knap, met flatterende grijze strepen in haar dikke donkere haar, zag Romana als een van haar eigen kinderen. Ze had Romana als baby gekregen, nadat deze zich ergens boven Rome voortijdig had aangekondigd en daarom dan ook Romana was gedoopt. Romana hield zielsveel van haar ouders maar zag hen te weinig. Romana's moeder was Kyra van Donckerens jongste zuster, nog steeds een van 's werelds grootste levende prima ballerina's. Haar man, een zeer bekende fotograaf, Alexander Paluda, was altijd met haar meegereisd en kon daardoor zijn beroep op werkelijk schitterende wijze uitoefenen. De wereld die ze al tientallen jaren samen bereisden was een grote inspiratiebron. Ze hielden veel van hun enige dochter maar Romana had toch altijd, vaag, het gevoel, dat ze heel veel van haar hielden maar haar niet echt nodig hadden en volmaakt tevreden en gelukkig waren met elkaar. Romana was daar nooit boos of echt geërgerd of zelfs ongelukkig door geweest. Ze had een heerlijk thuis en mama hield van haar en zij van mama, en dit kleine tengere persoontje was nou eenmaal iets heel moois en liefs, dat je beschermen wilde. Papa deed dat zo grondig, dat Merel niet anders wist dan dat de grond te koud was waarover ze liep en Romana vond het nog altijd een wonder, dat haar moeder geen vreselijk verwend, onuitstaanbaar, totaal verknoeid mens was geworden. Niets van dat alles. Ze vond weliswaar dat het zo hoorde en prima was geregeld maar ze was ook vrolijk, lief, goed gehumeurd en ze had een verrukkelijk gevoel voor humor.
Het huis van Kyra en Michael was het enige thuis, dat Romana ooit had gekend en de kinderen Roel, Jos en Lon waren haar broer en zussen, waarmee ze heel haar leven had opgetrokken, gelachen, gehuild en uiteindelijk samen een was geweest, zodra er voor een van allen iets verkeerd dreigde te gaan. Neen, Romana had weinig gemist, behalve de aanwezigheid van haar ouders. Dat ze altijd reisden had ze volkomen aanvaard, ze was niet anders gewend. Als ze er heel zeldzaam eens waren, was dat een feest maar het duurde altijd maar zo kort en dan worstelde Romana heel erg met heimwee als ze weer waren vertrokken.

Iedereen had begrip voor Romana's 'stille dagen' zoals de familie het aanduidde. Als Romana's ouders pas waren vertrokken, was iedereen lief voor haar maar liet haar zoveel mogelijk met rust. Dat hadden de kinderen van Donckeren altijd geweten, ze waren er mee opgegroeid. Romana had beslist stewardess willen worden, omdat ze de hoop had gekoesterd, zwervend over de wereld, af en toe haar vader en moeder te kunnen tegenkomen. Het was twee keer gelukt en voor Romana waren dat heerlijke gestolen uurtjes geweest; ze teerde er maanden op.
Ze had er aarzelend met Kyra over gesproken en gevraagd of zij het overdreven vond dat ze zo vocht voor een paar ontmoetingen met haar ouders, terwijl ze toch zo'n geweldig tehuis had.
„Ik zou het niet prettig vinden als het anders was," had Kyra rustig geantwoord en voor het eerst had ze in een lang gesprek aan Romana verteld, hoe ze vroeger zelf had gevochten om de Daelheym-kinderen, haar zusjes en broer, bij zich te houden en dat haar dit, vooral waar het Merel betrof niet gemakkelijk was gevallen.
„Het werd bijna een drama," had ze gezegd. „Om Merel en nog een paar vervelende gebeurtenissen. Toen liep het lieve Boshuis opeens leeg en iedereen had heimwee naar elkaar, naar dat huis, naar heel de sfeer van saamhorigheid. Maar dat is lang geleden."
„Je bent daar altijd zo zwijgzaam over geweest, en nog," had Romana nadenkend gezegd. „Ik heb de indruk gekregen dat er destijds heel veel is gebeurd dat je nooit tegen iemand wilt vertellen, of niet soms?"
„Ja, maar het is allemaal bedekt door het zand van de tijd, hoe zeg ik dat?" Kyra had zich er handig vanaf gemaakt, wilde er gewoon niet verder op in gaan. „Oude familiegeschiedenissen, ach, laat het zo."
„Niets is ooit echt voorbij," had Romana, destijds met de wijsheid van haar zestien jaren opgemerkt. „Ik wil graag dingen weten van vroeger."
Kyra begreep wel dat Romana, ondanks alles wat ze zo rijkelijk had ontvangen aan liefde en geborgenheid, toch iets wezenlijk had gemist en daarom steeds opnieuw probeerde banden met dat verleden, waarvan ze zo weinig wist, aan te knopen. Kyra's kinderen, noch de kinderen van haar broer en zusters hadden daar ooit zo'n nooit aflatende belangstelling voor gekoesterd, al hadden ze wel belangstelling voor de familie, vooral omdat ze in hun jeugd altijd allemaal samenkwamen met feesten, kerstdagen

en verjaardagen in het verrukkelijke boshuis. Dit was voor hen allemaal een van de mooiste herinneringen uit hun prille jeugd, tot het langzamerhand ging verzanden, omdat dan de een en dan de ander verhinderd was. Zo groeide de zo hechte familie langzamerhand uit elkaar tot een best wel vriendelijke, goed met elkaar optrekkende familie, maar de band van vroeger was er niet meer. Het werd aanvaard, het moderne leven stelde zoveel eisen en wie vond nog rust en tijd genoeg om allemaal op dezelfde tijd naar het Boshuis te reizen en met de hele familie op te trekken? Niemand wist eigenlijk precies wanneer het verval was begonnen maar Romana trok het zich erg aan. Ze had protesten geuit maar niemand had er ernstig naar geluisterd; een paar troostende woorden „het is nou eenmaal zo, kind, daar doe je niets aan!" vond Romana bijzonder nietszeggend. „Kyra," had Romana bijna huilend gezegd, ze had overigens nooit 'tante Kyra' gezegd, „Kyra, zie jij dan niet dat langzamerhand de hele familie afbrokkelt? Het is echt schandalig, al die stomme uitvluchten."
Kyra vond dat ze gelijk had, maar kon er ook niet lang bij stilstaan. Ze had het altijd druk met een groot huis, een man die zelden of op ongelijke tijden thuis was en waarnaar ze zich zoveel mogelijk wilde richten. Verder had Kyra een of andere functie in de gemeenteraad; welke functie was Romana tot op de huidige dag duister gebleven. „Het heeft iets met milieu te maken," had ze eens hulpeloos uitgelegd aan een vriendje van Lon. Lon zelf was overigens net binnen komen lopen, toen Romana met haar vage uitleg bezig was en, niet tot Kyra's blijdschap, zei heel de familie sindsdien vrolijk dat Kyra 'iets met het milieu' deed.
„Ach, kind, laat ze toch!" had de altijd rustige dokter Van Donckeren zijn gepikeerde vrouw getroost. „Jij werkt fijn, ja toch? Nou dan. Wat kan het jou verder schelen hoe ze dat werk noemen. Bouw maar een klein betonnen muurtje om je heen, net zo hoog, dat je er veilig op kunt leunen maar er wel goed overheen kunt blijven kijken. Daar ben ik trouwens met jou niet bang voor." Kyra had verder geen problemen gehad met haar miskende funktie als raadsvrouwe in milieu-aangelegenheden.
Romana kwam de zitkamer binnen en wuifde tegen Michael. „Een rustige avond voor jou? Waarom gewed, dat ik straks Bianchi in haast weg moet halen omdat ik het pad blokkeer?"
„Wens me iets anders, rust," grinnikte Michael en zakte lui onderuit in zijn stoel. „Goeie vlucht gehad, Romientje?"
„Ja hoor, we zijn niet gekaapt, zoals je ziet," zei ze met een bizar

soort humor. Ze ging zitten en nam een kop koffie aan.
„Is er post voor me?"
„Doe niet zo luguber, ja er is post," zei Kyra.
„Doe eens gezellig!" Lon schopte zachtjes tegen Romana's schoenpunt.
„Ik ga morgen weer weg, ik wil overmorgen de première van het toneelstuk van Franz meemaken, zie je. Hij vindt het trouwens ongezellig als ik er niet ben." Lon was getrouwd met een man die succesvolle vervolgverhalen voor de T.V. schreef en zij was er terecht erg trots op. Franz was overigens vijftien jaar ouder dan de jolige Lon en voor zover haar familie het kon bekijken, was Lon de zon in Franz' leven en in zijn beeldschone huis aan de Starnbergersee.
Josje, de oudste dochter, tegenwoordig Josefa, woonde met man en drie kinderen in de Achterhoek op een grote boerderij en kwam daar zelden vandaan.
Roel was journalist en practisch nooit thuis. Hij woonde in Amsterdam, was niet getrouwd en Romana vond hem losbollig maar dat zei ze niet, terwille van Kyra.
„Ik wil best gezellig zijn maar ik zie dat er een brief van mama en papa bij is. Mag ik even?" Merel schreef altijd heel lange brieven aan haar dochter en Romana genoot ervan. Ze zagen met belangstelling de wisselende uitdrukking op Romana's sprekende gezicht en Jos knipoogde tegen haar vader. De brief uit Amerika was beslist een heel gezellige brief en dat was maar gelukkig ook, want Romana maakte zich altijd zorgen als ze maar dacht dat er iets was, wat haar ouders dwars zat.
„Goede berichten volgens je gezicht," plaagde Kyra vriendelijk toen Romana de brief zorgvuldig in de enveloppe vouwde en in haar tas borg. „Ja, enig, en hartelijke groetjes voor allemaal. Mama schrijft jou binnenkort weer, Kyra, maar twee lange brieven tegelijk was haar te veel.
O ja, en mama vraagt of je die vrij grote, duidelijke jeugdfoto van haar wilt opsturen, waar ze opstaat nadat ze in een kinderballet had gedanst. De kleine ballerina, noemt ze die foto. Dat schijnt destijds een of andere krant te hebben geschreven bij een foto van haar en die krant heeft een afdruk van de originele foto gestuurd. Weet jij, wat mama bedoelt? Ze heeft 'm nodig voor een groot, geïllustreerd artikel in een of ander vooraanstaand blad. En ook nog een paar foto's uit de Boshuisperiode, kan dat?"
Tot haar verwondering en overigens ook tot verwondering van

haar man en dochter, keek Kyra allesbehalve vrolijk of bemoedigend bij het toch normale verzoek.
„Dat kan niet, hoor," zei ze ongewoon snibbig. „Al die foto's zitten vastgeplakt in een heel dierbaar album uit onze jeugdtijd en dat kan ik niet gaan slopen."
„Nou, je hoeft niet zo uit te vallen." Romana's gezicht, dat zo aan Merel deed denken, werd rood van boosheid. „Zijn het echt alleen jouw foto's? Mama kan moeilijk allerlei foto's van vroeger meesjouwen, dus als ze dingen van vroeger nodig heeft, is het normaal dat ze er om vraagt, niet?"
„Het zijn mijn foto's!" Kyra bleef uit haar humeur, met 'n diepe frons tussen haar wenkbrauwen en een vreemd, geknepen mondje, dat helemaal niet bij haar paste. Michael keek haar verwonderd aan en begreep er niets van.
„Nou, zo bemind zijn die foto's nu ook weer niet," beet Romana woedend van zich af. „Niemand heeft dat beroemde album ooit gezien in al die jaren, dus slingert het waarschijnlijk ergens op een hoge plank van een kast op je slaapkamer."
„Het album slingert daar niet, het ligt heel goed opgeborgen," zei Kyra hooghartig terug. „Het is mijn liefste album, dat veel herinneringen bevat en ik heb geen zin daar foto's uit te gaan plukken. Jullie hebt dat album niet gezien maar je hebt er nooit naar gevraagd, zo zit dat, jongedame."
„Doe niet zo gek," beet Romana, nu pas goed woedend, van zich af. „We kunnen moeilijk vragen naar iets waarvan we het bestaan niet eens weten. Het schijnt dus wel een geheim document te zijn, dat het al die jaren zo uit ons bereik is gehouden."
„Geheim? Nou, in ieder geval heel kostbaar en ik weet dat mijn kinderen brutaal foto's stelen, hoe vervelend ik dat ook vind. Als ze het huis uit gaan, pikken ze foto's; ach zo lief, van mama, van papa die er zo leuk op staat. Ja, Lon, kijk maar beduusd, dat heb jij ook gedaan, maar ik zie die foto's niet meer terug, heb er ook geen negatieven van. Dat foto's pikken van iedereen hier in huis heeft me al jaren gehinderd en van dat ene album blijven jullie mooi allemaal af. En nu komt Romana me daar even vragen om de mooiste jeugdfoto van Merel, althans een van de mooisten uit mijn eigen album te halen. Heb ik hier niets meer voor mezelf?" Ze liep kwaad de kamer uit en gooide de deur allesbehalve zacht in het slot, zo vreemd voor de altijd zachtmoedige en gelijkmatige Kyra, dat Lon totaal verbijsterd naar haar vader staarde en Romana, met een vuurrode kleur, nerveus de

brief van haar moeder weer tevoorschijn haalde.
„Zeg jij nou eens iets, inplaats van daar als een sfinx te zitten kijken," beet Lon haar vader toe.
„Tja," mompelde dokter van Donckeren en grijnsde niet zonder leedvermaak. „Het is goed, dat jullie eens een keer beseffen dat je een heel lieve moeder hebt, waar je best blij mee kunt zijn. Jullie neemt het allemaal zo vanzelfsprekend, maar je ziet, een keer is mama boos en meteen is er diepe verontwaardiging bij jullie alsof de sterren van de hemel vallen. Zanik in vredesnaam niet meer over dat foto-album, als je niet ook nog een kwaaie vader wilt hebben."
„Ach, nou ja," zei Lon en schoot in de lach. Ze vond het tenslotte ook 'n storm in een glas water. „Je hebt eigenlijk wel gelijk en ik wist helemaal niet dat mam zo kwaad is over die fotopikkerij. Ze zei er altijd wel iets van, maar we plaagden maar zo'n beetje terug en namen de foto's natuurlijk toch mee."
„Nou, dat vond ze dan niet leuk," zei Romana vinnig, stond op en liep de kamer uit.
„De tweede die nijdig verdwijnt. Waar je al geen ruzie om kunt krijgen!" mompelde Lon. „Niet dat het me helemaal onbekend is, want mijn Franz is een heel vriendelijk en goedig mens, behalve als hij haast heeft en iets niet kan vinden. Dan denkt hij dat het allemaal mijn schuld is, dat ik kan toveren en het vermiste uit de hoge hoed tevoorschijn kan brengen. Dan declameert hij dramatisch dat hier nooit iets te vinden is."
Ze zweeg en haar vader keek haar belangstellend aan. „En verder, wat gebeurt er dan? Word jij erg kwaad?"
„Neen, dan kan ik wel kwaad blijven, hij is tenslotte altijd wel iets kwijt," zei Lon droog maar er was een lach in haar ogen. „Meestal holt hij daarna met papieren, los, niet in een tas of map naar de wagen, smijt alles erin, holt nog even terug naar mij die hem heel kalm is nagelopen en zegt geroerd: „Ach, engeltje het is allemaal mijn schuld, kun je nagaan, engeltje, enfin, dan wuif ik hem uit en ga naar binnen, waar onze huishoudlady, overblijfsel uit zijn vrijgezellentijd, bezig is de troep op te ruimen. Heel leuk, niet vervelend, ik ben er aan gewend. Ik zou me geen raad weten als Franz keurig, met een wuifje en een lachje wegreed zonder alle trammelant; het is maar wat je gewend bent, hè?"
„Eh, ja, dat wel, maar het lijkt me een chaotische toestand," zei dokter van Donckeren die uit hoofde van zijn beroep orde en stiptheid gewend was, terwijl het thuis ook allemaal geruisloos

draaide, ofschoon Kyra niet alleen maar huisvrouw was. Kyra had nu eenmaal in de tijd van Het Boshuis leren organiseren, met stevige hulp van de onnavolgbare Teun, kokkin, huishoudkundige, verbonden geweest aan een hotel van naam. Haar carrière had ze destijds opgegeven om de Daelheymkinderen met hun geërfde Boshuis, dat ze als hotel wilden exploiteren, te gaan helpen. De kinderen wisten eigenlijk niet veel van de voorgeschiedenis. Ja, het Boshuis had, toen ze allemaal nog klein waren en in hun prille tienerjaren wel veel voor allemaal betekend. Een heerlijke plaats om samen te zijn en dolle pret te maken maar langzamerhand was het allemaal gaan verzanden. Iedereen kreeg het zo druk met eigen zaken, had geen tijd om te komen. Het werd meer een bron van ergernis en stekeligheden over en weer. Vooral Kyra, die zich vanaf haar jeugd had ingespannen de familie bijelkaar te houden, had het er erg moeilijk mee gehad en nu zou er dan, als laatste klap, zo maar een dierbare herinnering even uitgeplukt worden. Merel had een paar foto's nodig, jawel! Niemand begreep iets van Kyra's ronduit kribbige stemming terwijl ze altijd zo goedgehumeurd was. Het tafelgesprek kwijnde en ook Michael begon zuur te kijken. Hij was immers weinig thuis en waardeerde het niet dat Kyra uitgerekend nu met een lang gezicht rondliep.
„Wat ben jij gezellig," zei Lon misprijzend, nadat ze een vraag had herhaald en toen een kort antwoord kreeg. „Gaat dat nou allemaal om die foto? Dan geef je hem toch niet?"
Romana trok haar wenkbrauwen op, een spottend gebaar dat Kyra furieus maakte.
„Neen, niet alleen om die foto, maar om jullie egoïsme en totaal onbegrip, jullie gebrek aan enig gevoel voor familiezin en traditie. Die gemakkelijke afbrokkeling van alles wat werkelijk waarde heeft! Ik zeg je een ding: dat voor jullie zo waardeloze Boshuis gaat eruit!" Ze gooide haar servet neer en wilde opstaan maar Michael stak een lange arm uit en greep haar pols.
„Het is dus niet alleen die foto. Dat is alleen de druppel waardoor de emmer overloopt. Kyra, je hebt je allang lopen ergeren, maar zeg dan wat het is. Als ik iets vroeg was het altijd: 'O, er is niets, hoor, en ik heb het ook te druk om er verder op in te gaan'. Tamelijk gemakzuchtig, zo van 'gelukkig, thuis is alles in orde'."
„Ja," zei Kyra zachtjes. „Ja, laat me even. Ik heb geen zin er in een plotseling opstekende ruziestemming over te praten, dat kan ik niet."

Het valt natuurlijk niet mee na een onuitgesproken conflict opeens allemaal gewoon te doen en al deed iedereen zijn best, de tafel werd ongewoon snel opgeheven. Michael ging naar boven, naar zijn studeerkamer, Lon begroef zich landerig in een boek, dat haar niet interesseerde, omdat haar moeder vrij kortaf had gezegd, dat ze geen hulp bij de afwas wenste. Romana ging naar haar kamer en voelde zich, wat nooit eerder was gebeurd, overcompleet. Zij had om de foto's gevraagd en nog steeds was ze het niet eens met Kyra's reactie. Natuurlijk zou Kyra tegen Lon, Jos of Roel hetzelfde hebben gezegd. Ze zag Romana, die ze vanaf haar prilste babytijd in huis had gekregen, natuurlijk niet als een vreemd element en misschien was Romana toch wel eens voorgetrokken. Er waren nu eenmaal ogenblikken, dat de gevoelige Romana heimwee had naar haar eigen ouders, vooral als ze pas weer een lange brief had gekregen, of een telefoontje en, wat zo zelden voorkwam, ze hen even had mogen ontmoeten. Ze was dol op haar ouders en heel de familie had een zwak voor de nog altijd zo mooie, tengere 'prima ballerina' Merel. Vader Alexander... ach, Romana glimlachte bij de gedachte aan hem; mama's vriendelijke, sterke en zwijgende schaduw, die Merels pad effende en dat heel gewoon vond, het ging zo vanzelfsprekend. Romana had zich vaak afgevraagd wat Merel zonder hem had moeten beginnen en of ze dan ook zo'n succes van haar carrière en haar leven had kunnen maken?
Waarschijnlijk toch wel, omdat Romana, die scherp observeerde, haar mooie moeder helemaal niet zo hulpeloos vond. Ze vocht altijd voor haar werk en maakte het zich nooit gemakkelijk. Het was wel een feit, dat ze in haar leven rust, geluk en kameraadschap had gevonden en dat ze daardoor al haar energie en kracht kon geven aan dat mooie maar slopende beroep, dat haar heel de wereld door deed reizen.
Wat Romana ook altijd was opgevallen en haar een warm gevoel gaf, was de intense belangstelling die Merel had voor Alexanders werk.
Of ze hun dochter werkelijk misten, Romana was er nooit achter gekomen. Ze zeiden dat het zo was en ze deden werkelijk alles voor haar wat mogelijk was, maar toch, Romana had zo haar twijfels.
„Ach, het is natuurlijk ook onzinnig. Je kunt niet verlangen dat die twee voortdurend om mij lopen te treuren. Waarom zouden ze ook? Ik hoop evenmin over mijn ouders te kniezen, gelukkig

maar!" Romana vouwde de lange brief weer open en begon opnieuw te lezen. Wat moest ze nou met die foto's? Een wereldberoemd blad kon je zo maar niet afschepen met de mededeling, dat je familie weigerde foto's af te geven... een leuke rel! Vreemd toch, je dacht dat je de mensen, die je heel je leven had meegemaakt, kende en Kyra had nooit kuren. In ieder geval maar even wachten met de brief aan mama en papa, ze wist niet wat ze er mee aan moest.
Dat bleek het goede besluit, want Romana die dol was op koffie, wilde bijna bezwijken en op de heerlijke geur van de vers gezette koffie afgaan maar ze deed het toch niet en kort daarop klopte Kyra op de deur. Ze kwam binnen met de koffie op een blaadje en het blaadje stond op een bruin foto-album van forse afmetingen.
„Hier is je koffie en ik kom eens praten," zei Kyra resoluut en ging naast Romana op de bank zitten.
„Drink eerst je koffie want anders wordt ze koud. Ik dacht wel dat je niet beneden zou komen en ik heb me ook wel aangesteld, denk ik, maar ik werd opeens zo verschrikkelijk kwaad. Die foto's waren natuurlijk niet de enige oorzaak."
„Ik vermoedde het," gaf Romana toe en dronk op haar gemak de heerlijke koffie.
Kyra leunde achterover en keek peinzend naar het meisje tegenover haar, dat haar net zo lief was als haar eigen kinderen. Ze herinnerde Kyra soms heel sterk aan Merel, zo slank, zo fijn, zo donker, maar Merel had grote zeegroene ogen. Romana's ogen waren donker, maar als ze glimlachte, leek ze opeens sterk op haar vader.
„Mag ik het album zien?" Romana zette haar kopje weg en strekte haar hand naar het album uit. Toen Kyra aarzelde, deed ze geen moeite meer en leunde achterover.
„Je vindt dat ik een massa onnodige moeilijkheden maak," constateerde Kyra. „En je vraagt je af, of een paar foto's zoveel opwinding waard zijn. Ja, Roma, dat zijn ze. Sommige mensen houden een dagboek bij, hun hele leven of een bepaalde periode van hun leven. Ik heb dat niet gedaan, maar dit fotoboek heeft wel dezelfde waarde als een dagboek. Het betreft een periode in het leven van mij en mijn broer en drie zusjes, de kinderen Daelheym. Een periode die beslissend was voor ons allen, voor ons verdere leven. Met een dagboek heeft een ander niets te maken, dit fotoboek vervult eenzelfde functie. Dit is met zoveel

liefde bijeengezocht en van tekst voorzien, dat ik niemand toesta, ook Merel niet, hoeveel ik ook van haar houd, er foto's uit te plukken. De anderen hebben die foto's net zo goed gehad maar zijn er misschien slordiger mee omgegaan. Ik voorkom misschien je vraag of ik alleen dan recht op deze familiefoto's heb. Ja, dat recht heb ik en ik wil dat je het album nu bekijkt voor de goede verstandhouding tussen ons. Ik wil niet dat je je tot in lengte van dagen zult blijven afvragen, waarom Kyra zo overdreven reageerde. Kijk maar gerust, je hebt mijn volle toestemming." Ze zweeg even en voegde er dan spottend aan toe: „En bespaar me alsjeblieft je commentaar over onze achterlijke kleren, in jouw ogen dan."
„Dat soort opmerkingen ligt meer in de lijn van Lon, niet in de mijne," merkte Romana hooghartig op.
Kyra ging er niet op in. Het was een van de weinige keren dat Romana, als ze een boze bui had, een fijne steek onder water gaf: Maak opmerkingen tegen je eigen kinderen, niet tegen mij.
Kyra had er wel begrip voor maar het hinderde haar toch telkens weer. Romana opende zonder zichtbare haast of interesse het zware album en vergat meteen haar ergernis.
„O, wat een leuke foto!" riep ze spontaan.
De eerste bladzijde werd ingenomen door een grote foto van de vijf Daelheymkinderen met Kyra als middelpunt.
In Kyra's prachtige ronde handschrift, bijna gecalligrafeerd, stond eronder: „Het eerste jaar zonder vader en moeder was moeilijk, wij werden naar alle windstreken verstrooid. Ik woonde met Lon en wilde alle kinderen weer onder één dak, maar hoe?"
Kyra wachtte op vragen of commentaar, maar Romana zei alleen: „Jullie zagen er wel vlot en leuk uit, eigenlijk helemaal niet ouderwets, hoogstens erg in de puntjes, tegenwoordig is het allemaal wat losser en onverschilliger. Ik vind jullie ook wel een knap stel. Enig om dat eens te zien. Jij hebt eigenlijk heel weinig foto's staan."
Ze sloeg de bladzijde om: een bescheiden fotootje van Kyra en Lon, gemaakt met een goedkoop fototoestelletje, in hun kamer, die met kunst- en vliegwerk gezellig was gemaakt. Kyra had hier kort en duidelijk onder gezet: „Dit waren de magere jaren. Gelukkig duurden ze niet te lang want toen kwam... zie volgende bladzijde."
Op de volgende bladzijde prijkte een prachtige foto van het geliefde Boshuis met onderschrift: „O, dierbaar huis. Zelden

kwam een erfenis beter van pas. De gelukkigste jaren van ons leven..." Daarna volgden alle mensen die een rol hadden gespeeld in de eerste jaren. Tona, hun goede geest en hulp bovenaan, daarna Bas Lom en zijn palfrenier, die de postkoets altijd met hoorngeschal naar en van het station door het bos reden, om gasten op te halen. De foto's van het eerste jaar eindigden met een foto van de postkoets met twee lachende gezichten die door het raampje keken. „Kyra en Michael, verloofd," stond eronder. „Na lange tijd weer samen met allen die ons lief zijn in het Boshuis".
„Enig, maar wat was er intussen gebeurd?" vroeg Romana en het was dat soort vragen waar Kyra tegenop had gezien.
„Ach, onderlinge ruzies en misverstanden." Het klonk vaag en Romana wist dat Kyra er niet verder op in wilde gaan. Door het album bleek ze op familiegeheimen te zijn gestuit. De ruzies waren in ieder geval grondig opgelost, want Romana had nooit iets gemerkt van onenigheid in de familie, al zagen ze elkaar de laatste jaren steeds minder. Romana sloeg langzaam het blad om en zei alleen maar heel zacht: „O, wat ongelooflijk sfeervol, wat mooi! Is dat, ja, dat is mama."
Het was een grote zwart-wit foto van een klein meisje dat ongelooflijk fijn en sierlijk op haar teenspitsen balanceerde, dansend op de klanken van een straatorgel.
„Alexanders meesterwerk. En zo begon het," stond er simpelweg onder.
„Kende papa haar toen al?" vroeg Romana verwonderd. „Ik weet daar niets van, heb er nooit van gehoord. Maar het is een schat van een foto."
„Neen, hij kende Merel niet. Hij zag haar toevallig vanuit zijn venster en maakte die foto, om later tot de ontdekking te komen dat de kleine danseres het jongste zusje van een vriend van hem was."
„O, ja." Romana kon maar niet genoeg van de foto krijgen. „Wat goed! En toen ze groter was geworden, werd ze dus zijn grote liefde en is dat altijd gebleven, tot op deze dag, wonderlijk."
„Zo eenvoudig was het niet," merkte Kyra droog op. „Dat zal je wel zien."
Romana sloeg weer een blad op om daar op iets te stuiten, dat ze helemaal niet meer begreep: een grote foto van Kyra's zuster, mooie blonde Lon, stralend, met Alexander, ernstig en knap, maar beslist niet zo stralend als het meisje aan zijn zijde. „Lon en

Alexander, verloofd," stond er simpelweg onder, alsof de eigenares van het album er maar liever niet verder op in wilde gaan.
„Hé, hoe kan dat nou!" De eindeloze verwondering in Romana's stem klonk als een noodklok in Kyra's oren. „Is papa verloofd geweest met tante Lon? Dat heeft niemand me ooit verteld... wat gek?"
Romana dacht aan Lon, volgens haar een gelukkige en tevreden vrouw, die een tamelijk druk leven leidde en veel met haar man, een bekend dirigent, op reis was. Anders dan een hecht aan elkaar verknocht stel had Romana hen nooit gezien en toch kwam ze er na jaren door een toeval achter, dat haar vader eens verloofd was geweest met de oudere zuster van haar moeder.
„Vreemd, maar ik vind het geen prettige gedachte," zei ze toen Kyra niet antwoorde.
„Dat hebben wij... dat hebben zij verwerkt, het gaat jou niet aan," zei Kyra ongewoon bits. „Het was voor die drie mensen ook niet prettig, zeker niet voor Lon en voor je je nu allerlei rare dingen in je hoofd gaat halen, iedereen heeft fair gehandeld, niemand heeft iemand anders bedrogen. Die verloving was een vergissing en in onderling overleg is het geworden, nu ja, zoals het nu is, en zo is het goed, dat weet je."
„Wie hield niet van wie, althans niet genoeg?" vroeg Romana, die gewend was te zeggen wat ze dacht. „Lon heeft een zwak voor papa, dat is me heus wel eens opgevallen. Nu begrijp ik er meer van. Papa hield dus niet van Lon?"
„Jawel, maar niet genoeg. Merel was, en is nou eenmaal zijn grote liefde. Voor Lon is later alles goed gekomen, dat weet je."
„Ja, maar misschien is er toch een litteken?" mompelde Romana. Ze wilde verder bladeren maar ze kon haar ogen niet van de bewuste foto afhouden.
„Ik vind het toch maar vreemd dat niemand van jullie ouderen er ooit iets van heeft gezegd. Waren dit de moeilijkheden waarover je schreef onder de allereerste foto?"
„Ja," bevestigde Kyra, net iets te gretig. Romana keek even naar haar maar ging er niet verder op in.
De familie blijkt heel wat spoken in de kast te verbergen, dacht ze cynisch. Nu ja, dat was haar zaak niet. In iedere familie kwamen wel vervelende dingen voor. Ze moest gewoon even wennen aan het idee: papa die ooit met Lon verloofd was geweest... welk treurspel stak erachter? Langzaam bladerde ze verder, vond de verbluffende mooie jeugdfoto van haar moeder, met het prachti-

ge stel sieraden, de diamanten druppels in de oren en om de slanke hals.
Romana had die sieraden altijd gekend. Als klein kind had ze naar dat fraaie geschitter gekeken en later had mama haar verteld dat de sieraden uit dezelfde erfenis kwamen waaruit het Boshuis stamde.
„Dit is de foto die je moeder bedoelt," zei Kyra. „Ik zal vragen of er een afdruk van kan worden gemaakt; het origineel geef ik beslist niet af!"
De foto was met een paar eenvoudige fotohoekjes bevestigd, zodat het heel gemakkelijk zou zijn de foto te lichten, maar Romana had begrip gekregen voor Kyra's standpunt.
„Graag, als U dat wilt doen. Mag ik nog verder kijken?" Het klonk zo bedeesd, dat Kyra begreep hoe Romana er mee in de knoop zat. Waarom deed zij, Kyra, de veel oudere maar blijkbaar niet veel wijzere zo vervelend tegen Romana, alsof het kind een gluurster was, terwijl het notabene over haar eigen ouders ging. Er waren genoeg jongelui, die de geschiedenis van hun familie niet kenden, er ook weinig aandacht en belangstelling voor zouden kunnen opbrengen.
„Ach, natuurlijk, Roma." Haar stem kreeg weer de gewone vriendelijke, warme klank. Het laatste deel van het album was een verzameling van, meestal, trouwpartijen, te beginnen met Lon en Oskar, daarna van Gabrielle, de dochter uit Oskars eerste huwelijk, met Andre Wilreys, een wereldberoemd zanger.
„Dit huwelijk leek me nogal een opgewonden toestand met al die honderden fans erom heen." Romana bestudeerde de foto met plezier. „Ik dacht dat alle huwelijken en feesten zich in het Boshuis afspeelden? Met alle lieve gasten uit de begintijd, zoals je zelf zegt."
„Ja, maar Gabrielle en Andre trouwden in Londen, wegens tijdgebrek van de bruidegom." Kyra schoot in de lach. „Wat een toestand. De hele stoet raakte elkaar kwijt, en moet je even kijken, volgende bladzijde, mijn dierbaar kind Josje was bruidsmeisje en veegde haar neus af in de sluier van de bruid, waarvan akte!"
Romana gierde het uit, het was de zotste foto die ze ooit onder ogen had gekregen.
„Ja," zei Kyra zacht en streek liefkozend over het album. „Je houdt het allemaal vast met leuke, mooie, ontroerende foto's en later heb je heimwee omdat het zo mooi was en zo snel voorbijging, ach ja..."

„Wat zou er van al die mensen, die jullie toen zo na stonden, geworden zijn?" mijmerde Romana. „Wat grappig dat je van iedereen, bladzijden vol, zo'n fotootje ter grootte van een pasfoto hebt geplakt. Het is wel een volledig verhaal. Later ben je daar natuurlijk mee opgehouden."
„Het Boshuis is eigenlijk nooit zo'n echt hotel geworden, het was en bleef vooral een familiehuis, met in het begin allemaal vreemde mensen die erbij gingen horen. Het wonen van de zussen en broer onder een dak, mijn ideaal, dat kon niet meer, ieder leidde allang zijn eigen leven. Zelfs Merel wilde haar pleegouders houden. Dat heeft me heel veel moeite gekost. Ik zag het niet meer zitten en ging weg, er vandoor. Lon ging ook en onze lieve trouwe Teun zat daar in haar eentje en ach, later kwam het wel weer goed en werd het Boshuis het dierbare familie-honk, geen hotel meer. Maar het werd wel een weinig rendabel, kostbaar bezit en dat is het nog. Wat er van al die mensen uit de begintijd is geworden, ik weet er weinig van. Contacten, hoe innig ook, verzanden in de tijd, dat is zelfs met onze eigen familie zo. Een reünie op touw zetten? De pret vergaat je, want de helft komt met uitvluchten, terwijl ze verder wel overal heenvliegen."
„Ja, dat stemt je bitter en dat begrijp ik best." Romana bladerde nog steeds in het album. „Ik heb ook wel gevoel voor traditie."
„Van al die mensen weet ik alleen, dat Bas Lom niet meer leeft, maar hij was 88 en hij hoorde bij het huis, dus vanzelfsprekend weet iedereen dat. Ja, en die oude oma en opa, die bij ons hun 50-jarig huwelijksfeest vierden leven allang niet meer, ze waren destijds al in de tachtig."
„Waarom staat onze oude koekoeksklok zo uitermate groot en alleen op de foto?" Romana begon te lachen. „Het huis staat boordevol prachtige dingen, mooier dan die klok. Waarom die eer? O, wacht, wat staat er onder? 'Zoals het klokje thuis tikt, pikt het oplichters!' Wat een wonderlijke tekst! Zeg, maar als Dirk met zijn gezin niet zo geweldig goed voor ons honk zorgde was het wellicht allang gekraakt of leeggestolen. Hoe ben je aan Dirk gekomen?"
„Kijk maar eens op de bok van de postkoets in galop... dat jongetje is onze Deurk. En wat was ie altijd beretrots op de bok." Kyra schoot in de lach. „De enige keer dat we de kans hebben gelopen al onze dure spullen en ons mooiste antiek kwijt te raken was, toen we een gast kregen die eerst bij Union had gelogeerd. De klok, ja, de koekoek was opeens ontregeld. Onze gast gaf de

naam Karston op maar hoe hij werkelijk heette, is me nooit verteld. Hij had het reçu van zijn verborgen bagage in de klok verstopt. Een van onze gasten was bij de recherche, wat ik niet wist, en Karston werd gezocht voor veel meer activiteiten. We vonden het allemaal heel spannend en Karston werd gevankelijk weggevoerd; dat was het dan."
Romana zou het album graag nog eens op haar gemak willen bekijken maar de altijd zo plooibare, vriendelijke Kyra, bewaakt het album alsof het de kroonjuwelen zijn, dacht Romana geïrriteerd. Nu ja, als ze de copie maar kreeg van de foto, die mama wilde hebben. Er was heel veel, waarover ze zich had verwonderd, vooral dat tante Lon, waar ze zo goed mee kon opschieten, met Alexander verloofd was geweest.
„Dus ik had Lon als moeder kunnen hebben of... een andere vader, als Mereltje met een ander was getrouwd. Vreemd, iets om over te blijven filosoferen." Romana was in een uur tijd heel wat over haar familie te weten gekomen. Ze had wel genoten van die reis door het verleden en toch had ze heel sterk het gevoel, dat Kyra niet meer zei dan ze kwijt wilde en dat was niet veel geweest. Inplaats van nu eens gezellig van alles bij de foto's te vertellen over vroeger had ze nauwelijks meer commentaar geleverd dan onder de foto's stond. Het viel dan ook niet te ontkennen, dat Romana niet bepaald voldaan het album sloot en het teruggaf aan haar tante.
„Hier, je kostbare album. Het zijn tenslotte jouw herinneringen maar ik begrijp toch niet goed, waarom je zo geheimzinnig doet. Er zal vast wel meer zijn, dat je me niet wilt vertellen." Het klonk uitdagend, bijna brutaal. Onaangenaam getroffen stond Kyra op en liep naar de deur, daar draaide ze zich nog even om naar haar nichtje.
„Ik vind dat oude familiegeschiedenissen niet uit louter nieuwsgierigheid rondgestrooid behoeven te worden. Wij, vijf Daelheyms, hebben nog een paar eigen, heel persoonlijke herinneringen, mogen we alsjeblieft?"
„O ja hoor, maar ik bedoel er niets kwaads mee. Ik interesseer me gewoonweg voor m'n familie, meer dan de anderen. Ik sprokkel de boomtakjes, omdat de blokken niet van mij zijn en ik toch graag een warm vuurtje wil voelen. Begrijp je dat? Ik heb het hier altijd heerlijk gehad en dat heb ik nog, maar toch denk ik heus wel eens: waar zitten mama en papa nou? Waarom zie ik ze toch zo weinig. Konden ze maar eens wat meer bij me zijn. Ondanks

alle warmte en liefde hier, dat gaat nooit over en dat kan ook niet. Ik weet zo weinig van vroeger. Andere kinderen horen dingen uit de jeugd van hun ouders, ik niet en jij bent ook niet mededeelzaam. Dit album heb ik met zoveel moeite mogen inzien en dan denk ik opeens obstinaat, nou mens hou het dan, vlieg op met je album, dat is dan brutaal, ja!"
„Het is moeilijk ouders te vervangen; helemaal lukken kan het nooit. Ik weet wel dat je het gemis altijd bent blijven voelen en ik ben ergens toch wel blij, dat we jou nooit helemaal van Merel en Alexander hebben kunnen aftrekken, onbewust, ze zijn je liefde waard en ze hebben al niet veel privé leven. Sommige mensen zeggen wel als ik zo eens iets zeg over Merels carrière: Wel, het was toch haar eigen keus, maar ik geloof niet dat je van 'keus' kunt spreken als je zo'n enorm talent hebt meegekregen, daar moet je iets mee doen. Merel heeft dat gedaan, hoeveel ze ook van jou houdt. Ik begrijp dat sprokkelen van jou heus wel. Nou, amuseer je op je gemak met het album."
Kyra legde het album op tafel en verliet de kamer. Blij en dankbaar beleefde Romana een van de fijnste avonden die ze zich maar kon denken, maar familiegeheimen bleven verborgen achter de vele foto's en die waren er, dat wist Romana zo zeker, alsof Kyra het zelf had toevertrouwd. Wat was er gebeurd? Waarom was opeens iedereen weggelopen van het Boshuis? Was het alleen omdat Thierry, Tina en Merel niet voorgoed bij Kyra thuis wilden komen wonen? Kyra was daarover heel gesloten geweest en, veel later, als grote verrassing was er de grote verlovingsfoto van Lon en Alexander. Nu ja, wat voorbij was had z'n tijd gehad, maar was dat wel zo? Was iets ooit echt voorbij? Het kon lang of kort duren, maar het verleden werd altijd weer opgegraven. Romana zuchtte diep en mompelde met veel zelfkennis: „Ja, het verleden komt bovendrijven, vooral als je een nieuwsgierige Romana in de familie hebt, stewardess van beroep, gewend de wensen en het misnoegen van de gezichten te lezen. Als je het eens liet rusten, Roma? Je zou je tante Kyra er een enorm genoegen mee doen."
Ze schoof het album van zich af, maar vier foto's bleven door haar hoofd spelen, ze kon er niet door inslapen, de jeugdfoto van haar moeder, Merel met de zeegroene ogen en donkere haren, glad weggestreken als de vleugels van de vogel waaraan ze haar naam dankte; dan de foto van Kyra en Michael als verloofd paar in de oude postkoets... de ragfijne foto van het kleine meisje, op haar teenspitsen dansend naast het orgel, en de foto van Lon en

Alexander, verloofd, een stralend blije en gelukkige Lon en een heel ernstige Alexander. Merel was toen toch nog maar een kind. Romana wilde er niet meer aan denken maar als de geest eenmaal uit de fles is ontsnapt, krijg je 'm er niet meer in. Zover als Romana het kon bekijken, waren Kyra, Lon en Merel de roerige drie geweest en Thierry en Tina, de twee rustige figuren op de achtergrond, waarmee zelden iets mis was gegaan.
De volgende morgen gaf Romana het album terug en zei: „Het was interessant een kijkje achter de schermen te mogen nemen. Familie is heel boeiend, vind ik en het is de moeite waard de mensen te kennen, te zien hoe ze nu zijn en vroeger waren. Het is me niet tegengevallen. Zorg je dan voor de foto? Ik zal even wachten met schrijven, misschien kan het vlug."
„Ik zal er meteen voor zorgen. Tegen de tijd dat je weer thuis bent, heb je de foto wel." Kyra had het onaangename gevoel dat er, ondanks de wederzijdse vriendelijke woorden toch iets haperde. Ze wist, dat Romana bijzonder intelligent was en heel snel iets aanvoelde en meestal klopte later haar conclusie met de werkelijkheid.
„Maar wat moet ik dan?" vroeg Kyra zich af, toen ze een uurtje later Romana nawuifde, die met een kort, nogal onverschillig gebaar haar hand opstak, toen ze wegreed. Ik kan haar toch moeilijk vertellen dat Lon en ik destijds op 'n verschrikkelijke manier in de clinch lagen, omdat Lon heel erg fout was en ik door haar geïntrigeer tijdenlang m'n hele familie, Michael incluis, niet meer moest en weggelopen ben. Ik wil haar evenmin dat hele trieste verhaal van Lons ongelukkige liefde voor Alexander aan haar neus hangen, en de manier, waarop ze schitterend revanche heeft genomen voor haar vroegere gedrag, door Lex vrij te geven, helemaal vrijwillig. Het gaat Roma toch niet aan, maar ze voelt heel goed, dat er meer is dan ik wil vertellen; nou ja, dat moet dan maar! Ze bracht Lon, die weer naar huis vertrok, naar het vliegveld en ging daarna met het album naar een goede fotograaf, waarna ze in haar eentje ging winkelen en zichzelf op koffie met gebak fuifde. Ze was gewend veel alleen te regelen en op te knappen. Michael was een heel lieve, attente man maar hij had het zo ongelooflijk druk, dat ze het wel had afgeleerd hem met allerlei kleine dagelijkse moeilijkheden lastig te vallen. Hij zou er best welwillend naar luisteren, oh zeker, maar ze hield te veel van hem, om zijn schaarse vrije ogenblikken, waar hij zo intens van kon genieten, te verknoeien met gezeur. Kyra

trad liever niet op de voorgrond maar was er wel altijd en op het juiste ogenblik, zoals ze dat vroeger ook was geweest toen ze allemaal nog zo jong waren. Maar toen, ze zuchtte omdat ze toch weer op hetzelfde punt terugkwam, werd de band met de anderen steeds losser en dat kon haar soms benauwen. Er viel weinig aan te doen, er kwamen nieuwe mensen bij, de kinderen kregen vrienden en vriendinnen, nieuwe banen, ver van huis, andere belangen en telkens brokkelde er, soms zo ongemerkt, weer een stukje af van dat oude vertrouwde familieleven en behoorde tot het verleden.

Tegenwoordig moest je al blij zijn, als er met een verjaardag een paar kwamen opdraven en meestal bleef het dan bij het haastige kopje koffie, met één oog op het horloge, want er wachtte altijd zoveel op de achtergrond dat blijkbaar belangrijker was.

Dit kon Kyra niet verweten worden, zij maakte altijd ruimschoots tijd en men waardeerde dit op een vrolijke, wat onverschillige hoogst moderne manier. „Leuk hoor, zoals Kyra dat altijd bijhoudt. Ze heeft het toch ook druk, maar ja, wij zien er geen kans toe, hoor. Gelukkig maar, dat Kyra zo is, want anders..."

Misschien kwam het door het album, dat jarenlang had geslapen in Kyra's kast, maar ze zat zich, koffiedrinkend in haar eentje, steeds kwader te maken.

Jullie kunnen me wat... dacht ze grimmig en roerde de bodem bijna uit haar kopje, terwijl er geen suiker in de koffie onderdak had gekregen. Ja, jullie kunnen me wat. Kyra gaat het voortaan anders doen, oh, heel anders, ik baal ervan en goed ook!

Een paar tieners aan een tafeltje in de buurt keken haar belangstellend na.

„Best een leuk mens om te zien maar wat keek die nijdig. Die zat in d'r eentje een en ander te verwerken, zeker moeilijkheden met man en kinderen nou ja, het gewone, hè?"

Ze vergisten zich, het was niet 'het gewone', verre van dat. Michael zou vreemd gekeken hebben als hij had kunnen zien hoe kwaad en doelbewust zijn vriendelijke en gemoedelijke echtgenote naar haar auto stapte en een weinig parlementair woord tussen haar mooie tanden siste, toen de wagen niet onmiddellijk wilde starten.

Het rommelde danig in de familie, alleen wisten ze het nog niet. Kyra had genoeg van de rol die een kruising was tussen Sint Nicolaas, een Heilige en Moeder Gezelligheid op z'n Oud Hollands. Het was over en ze zouden het te weten komen, zeer binnenkort.

HOOFDSTUK 2

Toen Romana een week later thuis kwam, gaf Kyra haar meteen de foto en het prettige bericht, dat ze, als ze volgende week naar Los Angelos vloog, daar haar ouders zou kunnen ontmoeten.
„O, wat heerlijk," zei Romana en haar matte, vermoeide gezichtje leefde op, kreeg opeens iets stralends, de donkere ogen glansden warm. „Als ze niet te veel haast hebben kunnen we even echt bij elkaar zijn. Ik blijf daar twee etmalen. O, wat enig! Zoiets is me maar zelden vergund. 't Is meestal voor een haastig uurtje, als ik ze al ergens kan oppikken. Ik hoop het altijd maar het gebeurt haast nooit. Hebben ze gebeld?"
„Ja, je vader, vanuit New York. Als je hen schrijft laat je altijd zo hoopvol een soort spoor na... als... dan... Je ziet, dat ze er wel degelijk rekening mee houden. Ik vind het ook fijn voor je. De foto is gelukkig heel mooi en scherp gebleven."
Romana's stemming was daarna niet meer stuk te krijgen en hoe prettig ze haar werk ook vond, zo blij als nu was ze nog maar zelden geweest.
Geen wonder, als je je ouders mocht ontmoeten, op wie je zo dol was en die je met veel geluk hoogstens twee keer per jaar zag en dan nog in vogelvlucht.
Romana's ouders zouden in het hotel op haar wachten; afhalen had weinig zin omdat ze natuurlijk later kwam dan de passagiers. Al werd Romana dan niet van het vliegveld L.A. International Airport afgehaald, haar ouders zaten haar wel op te wachten in de hal van het hotel. Ze zagen haar zodra ze binnenkwam en zoekend rondkeek.
„Wat is ze zeker van zichzelf," dacht Merel. „Dat zal wel met haar beroep te maken hebben. Zo was ik niet, al wilde ik wel zeker van mezelf lijken maar ik zat boordevol onzekerheden."
Alexander Paluda liep zijn dochter tegemoet en Merel, die even op de achtergrond bleef om hun dit ogenblik te gunnen, vond het roerend, dat de mooie, zelfverzekerde jongedame opeens veranderde in een blij klein meisje, dat met een juichkreet haar vader om de hals viel.
„Pap, wat ben ik blij dat ik je weer eens zie. Je... o, waar is mama?" Ze liet hem los, zag haar moeder staan en sloeg stijf haar armen om het tengere vrouwtje heen, dat enkele centimeters kleiner was dan zijzelf. „Mama, wat zie je er weer fantastisch uit." Ze zuchtte van geluk. „Zeg, kleintje, je wordt er ook geen jaar ouder

op, hè? Gelukkig maar met jouw beroep. Je bent trouwens altijd de schoonheid van de familie geweest en dat begreep ik pas goed, toen ik de foto's uit je jeugd zag, en die ene, die ik heb meegebracht, een plaatje! Bof jij even, dat je eigen man zo'n goede fotograaf is... pff... wat ratel ik!"
„Het hindert niet, liefje. Dat is blijdschap, die een uitweg zoekt."
Merel lachte. Met haar charme en elegance, haar mooie rustige bewegingen en nog steeds beeldschone gezicht, trok ze altijd, zonder er moeite voor te doen alle ogen, zelfs hier, waar men toch wel wat gewend was.
Alexander had eens gezegd: „Merel blijft mooi, ook als ze tachtig zal zijn en ik hoop, dat ze het wordt en ik erbij mag zijn. Dan is ze nog mooi, door haar ogen, haar gezichtsvorm, haar charme, zonder meer."
Romana vroeg zich wel eens af, wanneer haar moeder haar danscarrière zou beëindigen. Zo'n carrière duurt toch al zo kort. Vanaf haar kinderjaren danste ze, een eeuwige inspanning voor een korte glanzende carrière. Intussen zag het er niet naar uit, dat Merel van plan was over afscheid nemen te peinzen.

„Je agenda is weer aardig vol, hè?" zei Romana, toen ze die avond samen aan tafel zaten. „Natuurlijk is het heel iets anders dan een gewone baan. Nooit rust, altijd reizen, zware optredens, gesprekken met de pers, ook dat eindigt nooit... vliegtuig in en vliegtuig uit, nooit vrij zijn..."
„Ik weet niet anders," zei Merel. Ze keek even naar Alex en knikte tegen hem.
Warmte en liefde, begrip alles lag in dat korte knikje. Geen mens, ook Romana niet van wie ze hielden, kon hier tussen komen. „Als ik alleen zou zijn geweest, zou ik het niet zo hebben gezien, het niet hebben gered, maar ik heb Alexander, dat zegt voor mij alles... voor Alexander ook. Een ongewoon leven, dat wel, maar toch een rijk en gelukkig leven en omdat het nooit helemaal de hemel op aarde kan zijn, hebben we moeten leren, dat het enig juiste en goede voor jou was: je bij Kyra achterlaten. Ook al klaagden we er niet over, we voelden wel het verlangen naar jou. We hebben zo weinig van je jeugd meegemaakt maar toch zijn we blij, dat we je hebben."
„We konden je toch niet meesjouwen. Je zou niet zo goed en evenwichtig zijn opgegroeid als nu is gebeurd dankzij Kyra en Michael. Je hebt het toch altijd fijn gehad, een echt thuis..."

„O, ja hoor, dat is zeker," gaf Romana gul toe. „Daardoor ben ik ook niet echt ongelukkig geweest, maar ik heb jullie gemist, zoals jullie mij toch hebben gemist, dat is een normale zaak. Het is niet anders en we hebben dat alledrie aanvaard, zonder rancune. Ik weet, dat het niet anders kan. Jullie zijn geen huisje-boompje-beestje mensen en ik zou er zeker niet gelukkiger door zijn geworden als jullie zo'n leven hadden gekozen terwille van mij; ik moet er niet aan denken. Onze ontmoetingen zijn nu altijd feesten. Ik hoop altijd maar, dat ik jullie op mijn lijn ontmoet, dat klopt bijna nooit. Horen jullie nu wel eens iets van de anderen? Papa heeft geen broers of zusters, maar jij wel, mama. Hoor je wel eens iets van Thierry, van Tina, van Lon?"
„Niet veel. Ik bel met verjaardagen, ik vind dat wel triest maar er zit niets anders op. Waar moeten brieven me bereiken? Bellen is het enige en dat doe ik ook niet voortdurend, ik heb nooit tijd over zodat ik me nooit afvraag wat ik nou eens zal gaan doen. Het komt er gewoon niet van, maar de verjaardagen, ja, die wel in ieder geval en ik geloof, dat het ook wel gewaardeerd wordt. Kyra is natuurlijk, door jou, wel bereikbaar en daar ben ik zo blij om. Kyra heeft altijd heel veel voor me betekend, voor ons allemaal..."
„Het Boshuis ook?" vroeg Romana zacht en keek van Merel naar Alexander.
„Ja, heel veel," zei Merel zacht. „Voor ons allemaal. Maar hoe kom je op Het Boshuis?"
„Ach, door de foto's in Kyra's album, die had ik nog nooit gezien en ze is er vrekkig zuinig op." Romana aarzelde tussen zwijgen of toch maar zeggen. Ze koos voor het laatste. „Ze deed er echt een beetje vervelend over alsof ik vroeg haar dagboek te mogen lezen en zo ziet ze het, dacht ik, ook. Later begreep ik dat, maar ja, ik kreeg toen de indruk, dat er achter die foto's familiegeschiedenissen schuil gaan waarvan Kyra vindt, dat ik, en verder niemand van de jongeren er iets mee te maken heeft, of zie ik dat verkeerd?" Merel keek hulpzoekend naar Alexander, ze was nerveus, dat zag Romana en het deed haar pijn.
„Ik zie, dat je er ook liever niet over praat, doe het ook maar niet," zei ze vlug en raakte liefkozend de hand van haar moeder aan.
„Waarom zouden we erover zwijgen. Welke foto's bedoel je, Romana?" Alexander glimlachte tegen zijn dochter, vriendelijk en een beetje triest. „Zwijgen zou betekenen, dat we ons ergens

over moeten schamen. Dat is niet zo. Welke foto's heb je gezien, meisjelief?"
„Heel mooie foto's. Van een kindje, dat bij het orgel danste. Het zal wel je liefste foto zijn, papa, maar er was ook een verlovingsfoto van... eh... van Lon en jou. Dat heb ik nooit geweten. Was het een drama?"
„Ja, voor ons alledrie," zei Alexander rustig. „Het heeft jaren geduurd voor we het alledrie hadden verwerkt. Lon heeft tenslotte de beslissing genomen. Daarna zijn we alledrie voor twee jaren onze eigen, eenzame weg gegaan om vooral geen verkeerde, overhaaste beslissingen te nemen. Merel en ik, het kon niet anders maar Lon heeft het er erg moeilijk mee gehad. Ze is veel later gelukkig geworden met haar Oscar."
„Ik begrijp niet, waarom Kyra dat dan ook niet gewoon kon vertellen, zulke dingen gebeuren nu eenmaal. Waarom wilden jullie destijds niet samen op Het Boshuis wonen? Ik dacht, dat het ook iets was, dat Kyra nogal hoog zat; is het niet zo?" Ze hield haar moeder scherp in het oog en zag heel even een lichte trek van wrevel over het fijne gezicht trekken.
„Ach, dat is allemaal zo lang geleden. Het was heel vervelend voor Kyra, ze heeft altijd voor iedereen willen zorgen. Eerst ging dat niet, en toen het wel zover was, kon het niet meer. Iedereen had al heel wat eerste stenen gelegd voor een ander leven, een studie, een relatie of wat dan ook. Ik was de jongste en wilde bij mijn pleegouders blijven."
„Toen werd Kyra zo kwaad, dat ze de brui eraan gaf? Dat is eigenlijk niets voor haar om zo te reageren," zei Romana.
„Neen, maar het gebeurde nu eenmaal." Alexanders stem trok een onverbiddelijke eindstreep onder dit deel van het tafelgesprek.
„Het zal wel zo zijn," mompelde Romana, die het laatste woord wilde hebben en meteen aangaf, dat ze berustte maar het niet geloofde.
Daarna stortten Romana en haar vader en moeder zich enthousiast in het bijpraten over alles wat er zo in driekwart jaar van elkaar niet zien was gebeurd en daar waren ze dan natuurlijk uren mee bezig. Romana zag zo in de loop van de avond wel de vele bewonderende blikken in de richting van haar beroemde moeder en daarna de tersluikse blik op de jongere editie naast haar.
Merel was aan die nooit aflatende belangstelling gewoon en lette

er niet op, tot Romana bewonderend opmerkte: „Ik vind het schitterend, dat jij voor het gezicht van het publiek zo absoluut jezelf blijft, zonder aanstellerij en dat je niet ziet, wat je niet wilt zien. Je bent lief en vriendelijk als iemand je aanspreekt voor een handtekening of zo. Hoe doe je dat? Ze vragen zich overigens af, of ik je zuster ben; we lijken op elkaar en daar ben ik nogal trots op."

„Een veel jongere zuster dan toch." Merel lachte en knikte haar dochter hartelijk toe. „Wat je vraag betreft: ik heb me destijds voorgenomen mezelf te blijven. Ik ben geen toneelspeelster, ik ben danseres, weet je. Als kind was ik wel een enorme aanstelster, Alex weet dat nog wel, ik wandelde werkelijk vaak, zoals men dat zo beeldend zegt, naast mijn schoenen. Dat is overgegaan, er waren belangrijker dingen die mijn leven bepaalden, Alex bijvoorbeeld. Ik heb twee jaar keihard gewerkt en gereisd, met altijd die knagende angst: wie zal het worden na die twee jaar. Ben ik het, is Lon het? Lon heeft het zo gewild maar ik kon me voorstellen hoe ze zich gevoeld moet hebben. Daarna waren er maar vier belangrijke punten in mijn leven, Alex, mijn carrière, jij en mijn naaste familie. De rest is glitter, leuk, niet waardevol."

Romana's ogen gleden naar het ernstige gezicht van haar vader.

„En jij... papa?" vroeg zijn dochter zacht.

„Ik heb nooit spijt gehad van wat dan ook. Natuurlijk zijn er altijd dingen die je anders zou willen. Zo hadden we het mooi voor elkaar. We wilden dolgraag een kind. Het zou toch bij Kyra en Michaël kunnen en we zouden het voortdurend gaan bezoeken. Dat was de prettige theorie maar in de praktijk klopte dat niet en hebben we je veel te weinig gezien, gewoonweg omdat er geen tijd was en mama van het ene naar het andere theater en stad en land moest, ver uit elkaar. Je kunt natuurlijk zeggen: had dan minder afspraken gemaakt, het minder gedaan, maar als je als kunstenaresse, want dat is ze, op zo'n eenzame hoogte staat dan moet je alles geven of er anders uitscheiden; je kunt het niet half doen. Begrijp je dat? Ik heb nooit iets van boosheid of verbittering bij je opgemerkt, alleen heimwee naar ons, hetzelfde heimwee, dat wij altijd hebben naar jou, waardoor mama als eerste in elke hotelkamer, nog voor ze een koffer heeft geopend, het leren lijstje met jouw foto naast het bed zet. Zonder dat gaat er niets goed, zegt ze."

„Dat wist ik helemaal niet. Ik vind het, nou ja, ik heb er geen woorden voor," ze boog zich, met tranen in haar ogen, over de

tafel en legde haar handen met een intens liefkozend gebaar op die van haar ouders.
„Al zie ik jullie weinig, ik heb jullie, dat is het voornaamste en ik ben nooit teleurgesteld geweest, hoe vluchtig onze ontmoetingen meestal ook waren."
„We komen deze zomer beslist een paar weken thuis. In Brisbane is een hele serie uitgevallen door niet voorziene restauratiewerkzaamheden aan het gebouw. Een of andere instorting of zo; je zal er maar net werken. In geen geval maken we vervangende afspraken. We komen naar huis. Fijn, hé? We verlangen er echt naar."
„Als ik zeven jaar was maakte ik meteen een rondedans." Romana grinnikte kwajongensachtig. „Ik zie het hier al gebeuren. Jullie zitten altijd in die super chique hotels. Begrijpelijk, hoor, want je mag, bij zo'n absoluut ontbreken van huiselijke gezelligheid, minstens wel wat comfort hebben en jullie werken er hard genoeg voor."
De bijna twee dagen samen werden wel volledig benut. Romana zei tevreden: „Ik heb nou niet bepaald een beroep waarbij ik kan zwijgen, maar ik heb deze dagen zoveel gebabbeld dat ik er schor van ben."
„Kan ik me voorstellen," mompelde Alexander, hij keek over zijn ochtendkrant hoofdschuddend naar zijn vrouw en dochter. Romana was de vorige avond nog 'even' naar de kamer van haar ouders gekomen om haar moeder een pas gekochte blouse te laten zien, maar om halftwee zat ze, gezellig gevouwen aan het voeteneinde van het bed met haar moeder, die comfortabel in de kussens leunde, te praten. Alexander had het na een kwartier opgegeven. Hij kon op die manier zijn aandacht niet bij het spannende boek houden, waarin hij nog even had willen lezen, dus dook hij onderuit, sloot zijn ogen en sliep in bij het gekakel over het onderwerp 'Mode'.
Hij gunde het hun overigens van harte. Deze moeder en dochter konden nooit eens gezellig gaan winkelen, koffiedrinken in de stad, zo maar gezellig samen zijn. Hij bleef daar zo mee bezig, dat hij er op stond, dat ze nu eens met z'n drieën de stad in zouden gaan.
„Alexander, jij hebt een plannetje uitgebroed," zei Merel en stak haar arm door de zijne.
„Ja, ik ga iets kopen voor m'n vrouw en m'n dochter. Vooruit, meisjes."
„Hij weet blijkbaar heel precies wat hij wil," zei Merel tegen haar

dochter. „In zo'n geval moet je maar niets vragen en gewoon meelopen."
„Wat je zegt!" Romana's gewoonlijk nogal ernstige gezichtje, dat altijd iets gereserveerds had, ondanks de professionele vriendelijkheid, was opgeleefd. Ze zag er vrolijk, jong en verwachtingsvol uit. Het interesseerde haar eigenlijk niet zo, dat papa een geschenkje ging kopen maar ze vond zijn enthousiasme zo leuk en genoot van de zeer beleefde maar discreet verwonderde juwelier in de dure winkel, waar ze tenslotte belandden.
„Niet te duur hoor, althans voor mij," blies Merel hem in.
„Hou jij je mond," blies Alexander terug. „Je mag ook helemaal niets uitzoeken, ik koop het gewoon..."
Er mankeerde gelukkig niets aan zijn gevoel voor smaak en stijl, dus werden het twee smalle gouden bandjes met een in goud gevat jade hartje. In het goud aan de achterzijde van de hartjes moesten de namen Merel en Romana gegraveerd worden en wel direct, wat na enig tegenspartelen van de juwelier toch gebeurde omdat zijn klanten de volgende morgen zouden vertrekken uit Los Angelos.
„Mogen we ieder ons eigen pakje? Nou, dan doe je het niet goed. Dit is 'Merel'," zei Romana. „Ik weet het zeker."
„Prima. Het is ook de bedoeling, dat jij 'Merel' draagt en zij 'Romana'."
„O ja, natuurlijk. Oh, wat dom van me, dat ik het niet begreep. Heel erg bedankt." Romana sloeg haar armen om zijn hals en kuste haar vader spontaan onder discrete belangstelling van de juwelier.
„Wat een goede ingeving van jou, Lex." Merel stak haar arm door de zijne en fluisterde haar man in: „Ik ben er dolblij mee, maar twee keer geknuffel overleeft die man niet; het gezicht alleen al. Ik denk, dat zijn superluxe klanten nooit in zijn boetiek knuffelen. Dank je, Alexander, ik zal je straks uitbundiger bedanken voor het heel erg lieve idee."
„Mijn geluksarmband doe ik niet meer af. Draag jij 'm dan ook, mama Merel?"
„Ja hoor," zei Merel en haar wonderlijke zeegroene ogen waren zo zacht en mooi, straalden zoveel liefde en tederheid uit voor de twee mensen waarvan ze het meest hield, dat Alex, die haar toch al zolang kende, haar geboeid aankeek. Merel was altijd een mens van duizend stemmingen geweest, maar had nooit primadonnakuren gehad. Ze was vriendelijk en belangstellend voor de

mensen om haar heen en Alexander had zich in de vele jaren met Merel geen ogenblik met haar verveeld. Hij had ook nooit spijt gehad van zijn keus en van het ongewone leven, dat hij daardoor leidde. Het verwende donkerharige, groenogige prinsesje van vroeger, aanbeden door de familie, was niet ondergegaan in waardeloze glitter en bewondering. De twee moeilijke jaren, toen Alex en Lon voor lange tijd uit haar leven waren verdwenen, hadden haar karakter gevormd. Ze genoot oprecht van het succes maar vond dat toch allemaal maar betrekkelijk.
„Morgen gaan we weer ieder onze eigen weg, maar het waren gouden uren samen," zei Alexander tijdens het diner, en hief zijn glas, waarin de champagne sprankelde. „Het is niet onze gewoonte iedere avond ons middagmaal te begieten met champagne, maar vanavond is het feest. Op mijn lieve vrouw en onze dochter. Ik weet, Romana, dat je altijd overtuigd zult blijven van onze zorg en liefde, al zijn we meestal ver van elkaar."
„Ik houd zoveel van jullie," zei Romana en haar ouders vonden het roerend dat ze zo verrukt was van het gouden bandje om haar pols en het telkens weer aanraakte en naar het hartje met inscriptie keek.

De volgende morgen scheidden hun wegen zich op het vliegveld. Romana wuifde haar ouders uit en was het liefst weer achter hen aangehold, maar een uur later stond zij, de spontane, aanhankelijke dochter van Merel en Alexander keurig in costuum, met een vriendelijke glimlach, voorkomend en beleefd gasten te ontvangen bij de ingang van het vliegtuig. Daar waren ze weer, de onverschilligen, de nerveuzen, de doorgewinterde reizigers. Een lange man, sportief, met springerig blond haar en doordringende grijze ogen die haar snel opnamen, behoorde beslist niet tot de nerveuze reizigers, die met een zeker wantrouwen binnenstapten, hij liep door alsof hij in een weinig interessante bus was gestapt. Romana was wel aan bewonderende blikken gewend. De tweede passagier, die meer belangstelling voor de stewardess dan voor het vliegtuig had was een te knappe donkerharige man van Spaanse origine. Volgens zijn paspoort kwam hij uit Sao Paulo; beladen met jas, tas en een losse schrijfmap en pal voor Romana's voeten liet hij letterlijk alles uit zijn handen vallen. Het was een complete ravage en het onhandige gedoe veroorzaakte nogal wat oponthoud. Romana raapte de papieren op en schudde die handig bijelkaar. Juan Montez was zijn naam en hij stond verschrik-

kelijk te schutteren en te zwaaien met jas en papieren, zodat Romana met een haastige sprong voor de tweede maal jas, papieren en koffer moest redden; ze had zelden zo'n onhandig mens meegemaakt en ze was toch wel een en ander gewend.
Zijn zuidelijk temperament ging er blijkbaar met hem vandoor, toen hij zijn armen, plus jas, tas en papieren om Romana heenlegde met een snel en vurig dankend gebaar dat te lang duurde en te overdreven was, om nog leuk te worden gevonden. Romana duwde hem tamelijk ongeduldig van zich af. Achter hen werd gelachen. Montez mompelde een verontschuldiging en schoof verder met zijn jas, tas en schrijfmap, die eruit zag of ze ieder ogenblik opnieuw uitelkaar zou vallen.
De stroom passagiers liep zonder onderbreking door, en er was verder geen stoornis. De onfortuinlijke en onhandige Montez bleek zijn stoel, via Romana's collega zonder verdere ongelukken te hebben bereikt. Romana was verbaasd maar toonde het natuurlijk niet. Ze was aan de vreemdste, vaak heel grappige of ontroerende gebeurtenissen gewend, maar het behoorde niet bepaald tot de dagelijks voorkomende gebeurtenissen, dat een passagier zo uitbundig bedankte voor een bewezen dienst.
„Wat dacht je? Dit is een overval of zoiets?" vroeg een van haar mannelijke collega's, die het voorval had gezien. Romana begon te lachen. Ze was er van overtuigd, dat het verhaal wel als een lopend vuurtje verder zou gaan. Sylvana, haar collega, begon er ook al over toen ze, van jasje, hoedje en handschoenen ontdaan, de pantry indoken om zich aan de verzorging van de passagiers te gaan wijden.
Montez maakte later nog eens zijn excuses.
„Ik ben er toch om de mensen te helpen en bovendien, u hebt overtuigend uw excuses gemaakt," antwoordde ze met een vriendelijke glimlach.
„Ja, maar ik wilde juist m'n excuses maken voor... eh... mijn excuses. Ik ben bang dat het u nogal overdreven leek, maar ik werd nerveus omdat ik iedereen zo ophield en u was zo vriendelijk... U vindt het dus werkelijk niet erg?"
„Man, zeur toch niet zo," dacht ze maar zei, met een beleefde beroepsglimlach: „O, helemaal niet, maakt u zich vooral geen zorgen." Romana keerde zich beslist af en ontmoette aan de andere kant de spottende ogen van de man met het blonde haar, dat blijkbaar niet netjes wilde blijven zitten omdat het krulde. Hij zei

niets bijzonders, toen ze het eettablet voor hem op het uitklaptafeltje zette.
„Dank u," zei hij kortaf. Zoveel als zijn buurman aan de rechterzijde zei, zo woordkarig was hij en ze vond het ook niet aangenaam, dat hij zo spottend keek, alsof zij er iets aan kon doen, dat die dwaze Montez haar letterlijk om de hals was gevallen en maar bleef zeuren. Ze bleef zich gedurende heel de reis bewust van de aanwezigheid van de twee mannen, terwijl de andere passagiers in een zachte, vriendelijke grijze wolk bleven gehuld. Deze twee passagiers sprongen eruit, al wist ze zelf niet goed waarom, want Montez vond ze eigenlijk helemaal niet aantrekkelijk en de ander zei niets; die vroeg alleen maar kortaf wat hij nodig had en bedankte net zo kortaf, dus daar was weinig aardigheid aan te beleven. Dat verwachtte Romana ook niet. Ze begreep alleen niet, waarom ze zo kregel werd van die twee. Misschien was het omdat de een zo druk en de ander zo overdreven stil was. De laatste las, urenlang, de eerste zuchtte en keek op als een soort trouwe hond als Romana langs kwam. Voor de rest hield hij zich onledig met brieven schrijven.
De reis ging verder rustig en normaal voorbij, al bleef, op de een of andere onnaspeurlijke manier, het passeren van de zitplaatsen van de heren J. Montez en M. van de Mortel, een spanningsveld. Bij aankomst, toen ze, nu weer keurig met jasje, hoedje en handschoenen, bij de uitgang stond en afscheid nam, knikte ze beide heren met een koel-beleefde glimlacht toe. Montez keek smeltend met zijn grote donkere ogen, van de Mortel knikte zo mogelijk nog onverschilliger dan zij het deed, en zonder spoor van een glimlach.
Wat een paar druiloren, dacht Romana, wat later op weg naar het Bemannings Centrum, waar ze zich afmeldde.
„Kan ik met jou meerijden?" vroeg een collega haar.
„Ik denk, dat je daar niets aan hebt. Ik ga via Schiphol Oost, want ik moet nog even bij de bank zijn.
Via Schiphol Oost was nog een vrij landelijk stukje weg, geasfalteerd, tussen de snelweg aan de linkerkant en rechts het gezicht op de aanvliegroute. Romana nam die weg, een dienstweg ook niet altijd, maar wel als ze vlug een bezoek aan de bank wilde brengen. Haar kleine rode wagentje stond op de parkeerplaats voor de bemanning.
Ze zag op dat ogenblik verder geen bekenden en reed in de richting van de uitgang. Heel snel was haar wagentje niet, ze had een

gezonde afkeer van mensen die snoefden over hun 'super snelle' car, want behalve op een race-circuit heb je in Nederland niet veel aan zo'n bolide, tenzij je een artiest bent die in het nachtelijk duister naar huis rijdt met veel te hoge snelheid wat te begrijpen maar niet goed te keuren is.
„Ach, die krijgen toch geen bekeuring," had dokter Michael van Donckeren een keer zuur opgemerkt, nadat hij zelf een forse bon had gekregen.
„Mijn handtekening is geen goud waard voor een bewonderaar."
„Dat mag je niet zeggen," had Kyra zachtaardig als gewoonlijk gezegd. „Je moet niet alles geloven en bovendien... misschien is niet je handtekening, maar je hand meer dan goud waard, want die redt heel wat levens, o zo!"
Het was zo maar een van die dwarrelende gedachten over mensen en dingen, waaraan je zonder aanwijsbare reden denkt; iedereen kent dat wel. De stip, ver achter haar, werd met benauwende snelheid groter. Romana geloofde haar ogen niet en mompelde: „O, verdorie, daar heb je weer zo'n snelheidsmaniak. Nou, broer of zus, wat je ook bent, doe een beetje rustiger!"
Tegen de tijd, dat ze de rode stip kon herkennen als een peperdure sportwagen, had de bestuurder vaart geminderd en Romana vroeg zich af, waarom hij in vredesnaam achter haar bescheiden karretje bleef hangen. Het ergerde haar niet zuinig. De weg was verlaten, behalve een ver achter de beiden wagens opdoemende auto, deze keer een blauwe, die ook met halsbrekende snelheid dichterbij kwam. De arme Romana wist niet, hoe ze het had met twee van die idiote piraten op een vrij stille weg, waar op dat ogenblik niemand anders reed dan zij, de sportwagen, die aan bumperkleven bleek te doen en de geheimzinnige derde wagen. Aangezien het zonneschermpje van donker gekleurd glas was neergelaten, had ze maar een vage indruk van de berijder, maar ze had ogen als een valk en al wist ze het niet zeker, ze had toch de indruk dat het Montez was. Intussen had de blauwe wagen hen ingehaald en de bestuurder begon angstig dicht uit te halen naar de linkerflank van de rode bolide, zo ongeveer als een insekt, dat steken wil en steeds weer blijft aanvallen. Wat het allemaal moest voorstellen wist Romana niet, maar ze vond het beangstigend en ze had maar een vurige wens: zo gauw mogelijk weg komen. Of die twee elkaar in de vernieling reden, ze wist het niet en ze wachtte er niet op, maar met een zucht van opluchting schoot ze via de afrit naar de snelweg. Hoe

dan ook, ze was die twee dolgeworden muskieten kwijt. Van het bezoek aan de bank was niets meer gekomen, ze had er niet meer aan gedacht.
„Hallo, Romana, hoe was het in L.A.?" Kyra kwam haar tegemoet lopen. „Kom gauw, ik heb verse koffie. Wat zie je er moe uit, is er iets?"
„Nou, gelukkig niet maar het had niet veel gescheeld; het was zo vreemd." Onder het genot van de sterke, geurige koffie, kwam eerst het enthousiaste verhaal over de fijne dagen met haar ouders los en trots liet ze het gouden bandje met het jade hartje zien. Daarna kwam als logisch vervolg het verhaal over Montez. „Dat was alleen maar gek, hoor. Er gebeuren best wel meer vreemde dingen, mensen reageren vaak zo wonderlijk en die andere, die blonde, deed eigenlijk heel normaal, achteraf bezien, maar ik vond ze, nou ja, een beetje griezelig. Het klinkt stom maar ik dacht heus even: Ze gaan ons toch niet kapen, toen die gekke Montez me vastgreep. Alles is tenslotte mogelijk. Ik ben ook helemaal vergeten naar de bank te gaan. Daar op de weg vond ik het helemaal niet leuk meer." Ze vertelde het voorval waar ze eigenlijk niets van begrepen had. „Maar ik voelde me wel bedreigd. Eerst reed die rode bolide als een gek, daarna bleef hij aan m'n bumper hangen. Ik dacht dat het die Montez weer was maar ik weet het niet zeker. Ik moest dus eigenlijk wel blij zijn, toen die blauwe wagen er achteraan kwam. Maar ja, ik weet niet, wat die nou weer wilde, behalve die rode wegdrukken. Ik ben er, zo vlug als Clipsie wilde, vandoor gegaan." Sinds Romana haar rode wagentje in een of andere zenuwslopende muzikale Clip had ontdekt, noemde ze haar wagentje trots Clipsie en Kyra vond het nog altijd dwaas klinken.
„Nou, je schijnt er een wilde aanbidder bij te hebben," concludeerde ze. „Ik houd helemaal niet van die gevaarlijke grapjes met auto's. Enfin, je hebt ze afgeschud zonder dat er brokken zijn gemaakt en daar ben ik erg blij om."
Kyra vertelde het voorval natuurlijk later aan Michael, die kort en goed zei: „Stelletje onverantwoordelijke idioten," waarmee het incident was gesloten. Maar het bleef Romana toch hinderen.
Kyra, die wel zag dat Romana nu niet bepaald in een stralend humeur was, vond het maar beter haar niet te belasten met verder nieuws, dat wel eens negatief zou kunnen overkomen, daarom bewaarde ze dat maar tot de volgende morgen.

HOOFDSTUK 3

„Wilde je uitgaan of heb je even tijd voor me, onder het nuttigen van een kopje koffie, die volgens jullie niemand zo lekker kan zetten als ondergetekende." Kyra deed een poging haar stem zo vrolijk mogelijk te laten klinken, maar omdat het haar niet lag zich anders voor te doen dan ze was of zich voelde, lukte het haar ook niet, Romana zand in de ogen te strooien.
„Wat heb je voor moeilijkheden?" vroeg Romana en ging er bij zitten. „Laat die koffie maar even. Ik wilde de stad in maar ook dat kan wachten. Zeg het maar, Kyra."
Kyra aarzelde en wist niet hoe ze moest beginnen en plonste daarom maar opeens in het diepe.
„Ach, al dat aarzelen helpt niet. Ik vind het erg jammer, maar we denken erover Het Boshuis te verkopen, misschien heeft hotel 'Union' er belangstelling voor als dépendance."
„O, neen, Kyra, dat kun je niet menen. Hoe kom je op zo'n afschuwelijk idee!" Romana schoot overeind uit haar gemakkelijke houding, de donkere ogen werden vochtig. Ze was een en al afweer, verontwaardiging en verdriet. „Dat kan je niet menen, Kyra. Dat mag niet, ons lieve Boshuis, o neen alsjeblieft, doe dat toch niet... en hoe kan er ook maar iemand van de familie het daarmee eens zijn!"
Kyra was geschrokken van de heftige reactie. Ze kon Romana ook niet verwijten, dat ze, zoals de meeste familieleden tegenwoordig, een onverschillige houding aannam waar het Het Boshuis betrof.
„Ik weet wel, dat jij er veel om geeft," zei Kyra zachtjes. „Ik doe dat ook, maar ik ben me in de loop van de jaren steeds meer gaan ergeren aan de manier waarop onze familie omspringt met dat zogenaamde geliefde familiebezit, Het Boshuis, waar ze bij tijd en wijle, als het hun zo uitkomt, sentimenteel over doen. Kijk, Romana, ik bespreek het juist met jou, omdat ik weet, hoe jij over Het Boshuis denkt en er achter staat.
Het Boshuis is, zoals je weet, in feite van de vijf Daelheymkinderen maar het wordt steeds meer een onrendabel project. Als we niet stuk voor stuk een goed inkomen hadden, was het al jaren eerder bekeken geweest. We teren te veel in, het gaat niet langer. En dan, hoe hard het me ook valt, het loont alle zorgen, moeite en geldelijke offers niet voor dat stelletje onverschilligen, die nooit tijd hebben voor dat zogenaamd geliefde

Boshuis. Ik kap ermee, ik kan er niet meer tegen."
„Hoe denken de andere Daelheymkinderen erover?" vroeg Romana verslagen. „Lon, Thierry, Tina en mijn moeder? Weten ze het al? Ik denk het niet, want mama heeft er niets over gezegd."
„Neen, ik heb het haar nog niet geschreven. Lon vindt het heel erg, Thierry en Tina hebben nooit die binding met Het Boshuis gehad als de andere drie, maar ze houden er wel van. Maar de jongeren, hè? Nou ja, 't is leuk, een familiehuis, Het Boshuis, wel leuk maar verder niets, je krijgt ze er niet warm voor, of wel soms?"
„Zo is het niet helemaal," opperde Romana voorzichtig. „Je krijgt jongeren, juist jongeren best enthousiast voor een goed plan, als ze maar weten waarvoor ze iets doen. Om een in zwang zijnd woord te gebruiken: ze moeten gemotiveerd zijn – en zijn ze dat? Ik ben enthousiast voor Het Boshuis, maar ik heb vlak bij de bron gezeten omdat jij en Michael zielsveel van dat huis houden, er trouw met de kinderen, dus ook met mij heen gaan, ja toch? Het zegt de anderen niets. Je zegt zelf dat Thierry en Tina er niet zo mee vergroeid zijn. Mama wel, maar die is er bijna nooit. Wanneer is Lon er? Als ze even kan, reist ze met haar man mee naar het buitenland. Wij zijn geen van allen zo honkvast. Kijk maar eens naar je illustere broer Thierry, intussen schout-bij-nacht, een heel belangrijke jongen. Nou, en Tina en Jan met 'de drie Jeetjes' Jelle, Joan en Jessy. Die leven zo hun eigen genoeglijke leventje, hebben niemand nodig, zou je denken. Maar hebben we zelf de relaties niet te veel versloft en de anderen alleen de schuld gegeven?"
„Ik weet het niet, dat kan wel waar zijn," zei Kyra met een bittere klank in haar stem. „Maar wat er niet ingebracht is, door de onverschilligheid van hun ouders, dat is er niet en kan er ook niet meer ingebracht worden. Het is gewoonweg te laat, voorbij. Bovendien kunnen we het niet meer opbrengen."
„En al dat beeldschone antiek?" mijmerde Romana. „Waarom hebben jullie het niet verder als hotel aangehouden? Jullie moesten het toch zo nodig voor jezelf houden?"
„Teun vond het leuk, toen ze ons in het begin kon helpen, maar zo iemand kun je daar niet in haar eentje laten zitten. Daar had ze op den duur geen zin meer in. Ze was eigenlijk een hele beroemdheid op haar gebied en bovendien heeft Teun ook niet de eeuwige jeugd. Enfin, je weet het nu."

„Heb je er al met 'Union' over gepraat?" vroeg Romana ongerust. „Laat het nog even rusten, alsjeblieft. Ik wil er langzaam aan wennen en... eh... als je het goed vindt, ga ik morgen naar Boshegge... alleen, dat wil ik nou eenmaal graag."
„Je doet maar," stemde Kyra toe. „Nou, goed, ik zal deze week nog nergens over praten, zodat je je daar in Boshegge niet al te zeer opgelaten zult voelen, niets uit behoeft te leggen en ook niet tegen treurige gezichten aan hoeft te kijken bij Dirk en zijn vrouw en kinders. Hij verzorgt alles zo prima".
„Ja, als iedereen zoveel hart had voor Het Boshuis als die familie! Maar ja, zij wonen er. Ik vind het heel erg en ik heb er maanden mee rondgelopen, maar het kan zo niet langer. Het is wel vreemd, dat na al die jaren het huis toch nog aan 'Union' wordt verkocht, terwijl we dat altijd hebben tegengehouden. Michaels ouders, die destijds bij 'Union' betrokken waren hebben er natuurlijk geen belang meer bij."
Kyra zei dit liefdevol, want ze hield van haar schoonouders: „Die twee zitten zo gezellig samen oud te zijn in hun huisje. Het zijn zulke gezellige mensen van deze tijd, als je voelt wat ik bedoel. Ik hoop dat ze honderd worden en dan blijven zoals ze zijn."
„Michael vindt het ook heel erg, hij is gehecht aan Boshegge. We hebben er elkaar ontmoet en later onze verloving gevierd," zei Kyra na een lange stilte. „Ja, ik kan me best voorstellen, dat jij nog eens in alle rust afscheid wilt gaan nemen van Het Boshuis."
Romana ging niet in op dat afscheid, want daar was ze nog niet zo van overtuigd. Langzamerhand begon er, gedreven door haar teleurstelling en boosheid over de laksheid van heel de familie, verzet te groeien tegen Kyra's besluit. Ze kon zich overigens wel indenken dat het voor Kyra en de drie zussen en haar broer anders lag. Het Boshuis was op deze manier een verschrikkelijk onrendabel bezit en het kon van niemand verlangd worden, dit in stand te houden, jaar in jaar uit, terwijl de hele familie het erbij liet zitten.
De volgende morgen, Romana was nog maar nauwelijks vertrokken, werd Kyra opgebeld. Men had Romana dringend nodig als reserve. Hoewel dit totaal ongebruikelijk was, wist Kyra natuurlijk ook niets van interne zaken bij de luchtvaartmaatschappij. Er konden zich tenslotte altijd noodgevallen voordoen.
„Is ze te bereiken?" vroeg de beschaafde mannenstem met sterk accent.
„Neen, momenteel niet, ze is onderweg naar Boshegge." Kyra

had meteen spijt dat ze dit had gezegd, maar het doet er ook niet zo toe, dacht ze. Ze konden het dan zelf uitzoeken en ze besloot even naar Het Boshuis te bellen, misschien was Romana al aangekomen.
„Ja," zei Dirk. „Ik zie haar het hek binnenrijden, mevrouw van Donckeren. Een ogenblik, dan roep ik haar."
„Hallo, Kyra. Wat is er aan de hand, kind. Ik kom hijgend binnenrennen. Dirk stond woest te gebaren... ja?" Romana liet zich in de stoel naast de telefoon in de hal zakken en genoot meteen van dat oude, vertrouwde plekje, waar ze in haar tienerjaren heel wat had afgetelefoneerd.
„Kan jij opgeroepen worden als reserve?" vroeg Kyra. „Ik vond het maar vreemd en daarom bel ik je en bovendien kun je als je het nodig vindt, zelf terugbellen."
„Wat is dat nou voor onzin? Dat kan helemaal niet. Als je reserve bent, weet je dat toch? Ik neem aan, dat tussen mijn vertrek en het ogenblik van dat telefoontje met jou niet het hele corps dames is geveld door een griepvirus of zo, kom nou! Ik vind het reusachtig attent, dat je me belt. Ik zal even informeren wie me gebeld heeft. Dank, Kyra, en het is hier al de eerste minuten zo vertrouwd, zo heerlijk, zo 'thuis'. Daag... tot kijk!"
Ze draaide daarop meteen het nummer, dat ze half dromende nog goed zou draaien, om tot de conclusie te komen, dat niemand haar had gebeld.
„Hier is alles normaal en rustig; geen telefoontjes die wijzen op bijzondere gebeurtenissen. Je bent dus gebeld door een of andere vervelende grapjas, misschien een hardnekkige aanbidder," zei de telefoniste plagend.
Romana belde af. Ze vond dergelijke dingen niet leuk en ook niet interessant. Kyra kwam met schrik tot de ontdekking, dat ze vergeten had Romana te vertellen, dat ze Boshegge had gezegd tegen de opbeller en ze besloot maar weer te bellen. Romana stond op 't punt naar buiten te lopen en begon te lachen toen ze Kyra's stem hoorde: „Zeg, blijf je zo? Je bent zeker nieuwsgierig. Nou, het was loos alarm, hoor. Ik ben niet door de maatschappij gebeld en dat vermoedde ik al."
„O, ja, nou, ik wilde je eigenlijk zeggen, dat ik per ongeluk tegen die opbeller zei, dat je op weg was naar Boshegge. Toen vroeg ie niets meer. Ik vind dat helemaal niet geslaagd."
„Ach kom, maak je toch geen zorgen om niets."
Ze liep weer naar buiten om Dirk en zijn vrouw en kinderen te

gaan begroeten. De stoere, goedlachse Dirk was vergroeid met Het Boshuis, waar hij als jongmaatje was gekomen, bij de oude Bas Lom op de bok van de postkoets.
Romana wees naar de glimmend gepoetste posthoorn, die aan de muur hing.
„Zou je het nog kunnen?" vroeg ze.
„Misschien. En wat was ik daar destijds trots op. Dat was jaren voor jij werd geboren. Het is een beeld dat ik nooit kan vergeten: de postkoets die in volle vaart het pad af kwam. Dan liep iedereen uit het huis naar buiten, want het was echt een machtig gezicht, zoiets uit een ouderwetse film. Tja, dat is allemaal verleden tijd. De oude postkoets staat er nog altijd, keurig onderhouden, hoor... want daar sta ik op. Een enkele keer wordt ie uitgeleend maar ik heb de kinderen altijd uit het stalhuis gehouden, want die koets zou prachtig zijn geweest om in te spelen, maar het mocht nooit en nog niet, hè jongens?"
„Nee, we mochten er alleen maar even in als papa 'm aan het poetsen was," zei de blonde, achtjarige dochter Wietske met spijt in haar stem. „We hebben er nooit echt in gereden... jammer, hoor."
Welk huis, waar de eigenaars bijna nooit waren, zou zo in de puntjes worden verzorgd als dit huis, vroeg Romana zich af. Het was beslist niet alleen omdat Dirk voor zijn rentmeesterschap behoorlijk werd betaald, hij hield van het huis en van alles wat erbij hoorde.
„Dirk, je moest eens weten wat je boven het hoofd hangt," dacht Romana triest. Ze dwaalde door het huis dat zo mooi en sfeervol was, zo schitterend werd onderhouden en dat toch dat ondefinieerbaar weemoedige sfeertje had van een onbewoond huis. Dirk's vrouw Rita kwam vragen of ze bij hen wilde lunchen of in het huis.
„Bij jullie, veel gezelliger. Maar eerst ga ik een eindje wandelen, de boslucht opsnuiven, de plekjes waar ik als kind het liefst zat, terugzien. Rita, mijn compliment. Wat ziet het er hier prachtig uit. De planten gedijen omdat ze ongetwijfeld iedere dag liefdevol worden verzorgd. Is 't niet?"
„Zo hoort het immers," zei Rita kalmpjes. „Ik zou me schamen als er iemand van de familie onverwachts binnen zou vallen en het zou hier een rommel zijn, bovendien zou ik ernstig woorden met Dirk krijgen. Hij is gek op alles hier en hij mag de familie, zo eenvoudig is dat."

Ze liep vlug weer naar haar eigen huis en Romana liep op haar gemak het bospad af, tot aan de dennen.
Daar stond nog altijd de bank, die Bas Lom destijds getimmerd had en Romana vond het nog steeds het prettigste plekje om van de zon te genieten en te dromen; 't was nog wel erg eenzaam, nu, in de lente, en midden in de week. Union heeft nog niet zoveel gasten, die onmiddellijk aan het wandelen slaan, dacht ze soezerig, met half gesloten ogen. Ze kon nu heerlijk rustig nadenken over Het Boshuis en wat er nu eigenlijk moest gebeuren. Laat je grijze cellen eens werken, Romana.
Ze had daar zeker een halfuur gezeten, toen ze achter zich een vaag geluid hoorde. Gewend als ze was scherp op te letten, was het meer de vage aanduiding van geluid: het schuren van een takje, het rollen van een steentje. Ze keek meteen om en tot haar schrik stond daar, als uit de grond verrezen, de heer Juan Montez.
„Wat doet u nou hier?" vroeg ze in het Engels. „Toch niet weer uw verontschuldiging maken? We zijn hier niet in het vliegtuig. Kom, laat me door."
Romana maakte een grote boog om hem heen en begon het pad af te lopen, in de richting van Het Boshuis. Ze voelde zich niet op haar gemak, maar ze wilde ook niet op de vlucht slaan.
„Luister even, miss Paluda." Het verwonderde haar dat hij haar naam wist. Ze keek kwaad opzij en bleef stilstaan. „Ik heb geen behoefte aan uw gezelschap... laat me met rust."
Toen dook er een tweede figuur uit de struiken op, de lange blonde die aan de andere kant had gezeten, van de Mortel en op dat ogenblik sloegen bij Romana toch werkelijk de stoppen door.
„Zijn jullie allebei gek geworden?" Ze stond daar als een furie, met gebalde vuisten en ogen die vuur schoten. „Maak dat je weg komt... allebei! Wat is dit voor een opzet? Jullie gedroegen je in het vliegtuig al wonderlijk. Daarna, op de weg... die twee auto's! Ja, dat waren jullie! Wil je me vertellen, dat het toeval is, dat je me hier, notabene in Boshegge tegenkomt op de weg. Maak dat je wegkomt. Ik wil niets met jullie te maken hebben!"
Ze glipte met een onverwachtse beweging langs de lange blonde heen en holde nu wel degelijk. Tot haar oneindige opluchting had ze het groene jagershoedje met blonde krullen eronder van Dirk ontdekt, die haar lang wegblijven, op verzoek van zijn vrouw, kwam onderzoeken. Romana had namelijk op haar plekje in de zon de lunchtijd vergeten.

„Wat is er gebeurd?" vroeg Dirk verschrikt.
„Niets, of toch. Zijn die kerels er nog? Ik wil niet omkijken." Ze kon er alweer om lachen. „Natuurlijk hebben ze ook 't recht te gaan en staan waar ze willen. Ze hebben niets gedaan, zelfs niets gezegd. Wat een onzin zo op de vlucht te gaan!"
Dirk begreep niet zoveel van het opgewonden verhaal. Hij zag trouwens maar een man en die kwam heel rustig naar hen toewandelen.
„Ik geloof, dat er sprake is van een misverstand." De lange blonde man die ze als van de Mortel kende bleef bij hen stilstaan. „Ik ken juffrouw Paluda alleen als stewardess, verder niet. Ze schrok blijkbaar van mijn verschijnen, hoewel ik een onschuldige gast van hotel 'Union' ben en op mijn gemak de omgeving verkende."
Romana keek hem aan alsof ze haar oren niet geloofde. Die man kon liegen alsof het gedrukt stond, of althans, hij kon heel vlot halve waarheden vertellen maar die waren gevaarlijker dan leugens.
Ze kon er echter weinig tegen in brengen. Dirk vroeg achterdochtig waar de tweede man was gebleven?
„De man waar juffrouw Paluda mee in gesprek was?" vroeg van de Mortel. „Die is gewoon doorgelopen. Er was helemaal niets aan de hand. Niemand heeft juffrouw Paluda iets misdaan, ze is van ons geschrokken omdat het hier vrij eenzaam is."
„Het spijt me," zei Romana kortaf want ze wilde de zaak niet op de spits drijven.
Van de Mortel knikte beleefd maar onverschillig, liep langs hen heen en verdween met rustige pas in de richting van hotel 'Union'.
Romana liep zwijgend en nog steeds nerveus naast Dirk naar huis. Hij zei wijselijk niets maar toen Rita haar tegemoet kwam en meteen zag, dat er iets mis was, barstte Romana woedend los: „Ik stond me daar toch even voor gek door die van de Mortel. Het was zo verschrikkelijk oneerlijk van hem. Wat heb ik een hekel aan mensen die van die gemene halve waarheden vertellen."
„Halve waarheden?" echode Dirk. „Wat klopte er dan niet aan zijn verhaal?"
„Als jullie me nou eerst eens vertelden waar je het over hebt," riep Rita met verheffing van stem.
„Romana zat op de dennenbank, toen twee mannen op datzelfde punt kwamen en daar schrok ze van. De een liep door, de ander

kwam naar ons toe, toen Romana in mijn richting rende. Hij zei, dat Romana ten onrechte was geschrokken en dat hij een wandelaar was, die in 'Union' logeert. Meer weet ik ook niet," vertelde Dirk droogjes. „Romana kan ons de rest vertellen, denk ik."
„Ja hoor, dit is de derde keer dat ik het stel zie en telkens jagen ze me de stuipen op het lijf." Romana vertelde wat ze had meegemaakt vanaf de dwaze binnenkomst in het vliegtuig.
„En nou is het zeker toeval dat ze een gehucht als Boshegge kiezen als ik er ook ben. Wat moeten ze nou eigenlijk van me?" Romana prikte een stuk omelet aan haar vork en keek daar zo kwaad naar, dat Rita in de lach schoot.
„Sorry, Romana, dat ei kan er ook niets aan doen. Het is vervelend maar heb je dan gemerkt, dat je gevolgd werd toen je hierheen reed? Ze konden dat toch niet weten... of wel?"
Het bleef stil, Romana legde met een zucht mes en vork neer. Haar eetlust had eronder geleden.
„Neen, ik ben niet gevolgd. Tenminste, ik heb niets gezien, maar Kyra kreeg vanmorgen een vreemd telefoontje; daarom belde ze hierheen. Er was een telefonische oproep voor me geweest van de luchthaven. Ze vond het wel ongebruikelijk omdat het niet eerder was voorgekomen maar weet natuurlijk niets van interne afspraken, dus gaf ze door, dat ik op weg was naar Boshegge. Achteraf bezien vond ze dat niet zo bijdehand van zichzelf, maar zoiets zeg je in goed vertrouwen spontaan en later ga je dan denken... hè, wat gek... enzovoorts. Tja, toen heeft ze me onmiddellijk gebeld. Het telefoontje kwam natuurlijk helemaal niet van het kantoor. Ik vind het allemaal erg toevallig en kan er geen touw aan vastknopen."
„Ben je er bang door?" vroeg Dirk.
„Neen, alleen maar erg kwaad," Romana begon opnieuw, tot heimelijk vermaak van Rita een gevecht met de intussen onsmakelijk uitziende koud geworden omelette, een strijd die ze enkele minuten later mismoedig definitief opgaf.
Rita was een meisje uit het dorp, dat een tamelijk langdurige carrière als 'juf' op de kleuterschool achter de rug had, toen ze met Dirk trouwde. Ze had het in het begin erg stil gevonden in Boshegge maar ze kwam nu eerder tijd tekort, met drie kleine kinderen, waaronder een tweeling, haar eigen huis en tuin en het grote huis. Ze hield dat niet zo maar onverschillig bij, maar zag er nauwlettend op toe, omdat er zo'n kostbare inboedel was, die extra zorg betekende. Ze was het ook volkomen met Romana

eens, dat het huis niet de eer kreeg die het toekwam.
„Het ziet er altijd piekfijn uit," zei ze spijtig in een gesprek later op de dag. „Je ziet driekwart van het jaar niemand van de familie. Wij houden van het huis. Vroeger was het wel anders hier. Maar ja, wij zijn tenslotte aangenomen om het hier in orde te houden en dat doen we ook. Met de rest mogen we ons niet bemoeien."
Romana had niet de moed haar te vertellen hoe ingrijpend haar leven en dat van haar man en kinderen misschien zou moeten veranderen als de verkoop doorging. Bovendien, zo dacht ze terecht, is het Kyra's verantwoordelijkheid het hun te vertellen maar ik voel me een bedriegster.
„Je bent zo stil en zo lusteloos!" Rita kwam met de thee binnen, vroeger dan gewoonlijk. Romana had bijna niets gegeten en van vastende gasten hield de gulle, goedlachse Rita niet. „Kijk eens wat een uitgebreide 'thee', het lijkt wel Engels. Toe, laat me nu niet alles voor niets klaarmaken. Wat hindert je zo? Dat geval van vanmorgen? Eerlijk gezegd vind ik het ook niet leuk, maar Dirk is zo'n laconieke, denkt meteen dat we overdrijven en zo."
„Je hebt gelijk, dat is ongezellig voor jou." Romana deed haar best en na het nuttigen van het vijfde toastje groot model met dik beleg, kwam ze tot de ontdekking dat ze gewoon zat te bunkeren en nu het knorrende gevoel in haar maag verdwenen was, haar humeur veel beter was geworden.
„Weet je, Rita, ik ben nu eenmaal iemand die overal op afstapt en ik ga er steeds meer voor voelen gewoon even naar 'Union' te stappen. Ik laat me toch maar niet zo voor onnozel verklaren; waarom moet ik doorgaan voor een dom schaap, dat onmiddellijk denkt, dat het achtervolgd wordt als er een man in de buurt is? Zo is het toevallig niet en ik neem het ook niet. Als die van de Mortel werkelijk in 'Union' logeert wil ik 'm toch even spreken. Ik bedank er trouwens voor in de toekomst onwillekeurig steeds om me heen te moeten kijken... ze mochten eens in de buurt zijn, de vreemde vriendjes!"
„Roma, dat kun je niet maken," zei Rita verschrikt en zette van louter opwinding haar kopje naast de tafel en keek toen zo verwonderd naar beneden, dat Romana in een bevrijdende lach schoot.
„Geluk gehad, het kopje is heel en het was toch al leeg. Kijk nou niet alsof je water ziet branden?" Romana raapte het kopje op want Rita zat nog steeds verstijfd te kijken.

„Je meende het toch niet, hè?" Ze vroeg het smekend maar toen Romana knikte, stond ze kordaat op.
„Goed, dan gaan we nu meteen. Ik heb de handen vrij nu de kinderen naar school zijn, want je denkt toch niet, dat ik je alleen laat gaan?"
„Naar het hol van de leeuw," plaagde Romana. „Fijn, dat je meegaat. Zullen we dan maar?"
Rita liep achter haar aan naar de gang en hees zich werkelijk bibberend van opwinding en met een vuurrode kleur in haar jas.
„Gekkie, maak je toch niet zo druk. Er is toch niets bijzonders aan de hand," troostte Romana haar vriendelijk. „Ik waardeer het echt dat je ondanks je angst mee wilt gaan."
„Hou je mond, ik ga mee," zei Rita stoer en liep met grote passen voor Romana uit. Ze stapte ook als eerste het bordes van hotel 'Union' op en opende de zware glazen deur met een fikse duw, wat Romana toch wel een nerveuze lachkriebel bezorgde.
„En nou?" snauwde Rita, met bliksemende blauwe ogen. „Wat moeten we verder?"
Romana liep langs haar heen naar de receptie. Het meisje, dat uit Boshegge kwam, kende Romana natuurlijk, zoals ze de hele familie kende.
„Dag Tinka," zei Romana hartelijk. „Wat leuk weer eens een van ouds bekend gezicht te zien. Er logeert hier een Van de Mortel. Ik wil hem graag even spreken. Weet je misschien waar hij te bereiken is?"
„Ja hoor, in de salon, daar zit ie de krant te lezen." Tinka wees in de richting van de brede glazen deuren. „Loop maar door."
Romana, uiteraard niet geïmponeerd door de luxe van 'Union', wat bij Rita tegenovergesteld was, wandelde de salon in en hield de deur gedienstig open voor Rita, die min of meer aan Romana's jas hing.
Ze zagen aan het eind van de zaal een lange figuur lui in een fauteuil hangen met een uitgespreide krant voor zijn gezicht. Voor de rest was de salon verlaten, wat Romana goed uitkwam.
Ze stevende recht op de hoek af. Hij moest toch wel iets horen maar er kwam geen beweging in de krant, tot ze vlak voor zijn stoel stilstond.
„Meneer van de Mortel!" Ze hoorde zelf hoe uitdagend en onvriendelijk het klonk. „Kan ik u even spreken?"
De krant zakte, grijze ogen keken haar een ogenblik wazig en verbouwereerd aan, toen kwam hij overeind en de krant gleed op de

grond. Het was duidelijk dat hij dit zeker niet had verwacht en beslist niet wist wat hij ervan moest denken.
„Zeker... gaat u zitten... beiden!" Het ogenblik van schrik en onzekerheid was voorbij en de spot kwam terug in de grijze ogen. „Waarmee kan ik u van dienst zijn? Wilt u, om te beginnen, eerst koffie of iets pittigers?"
„Dank u, we hebben net thee gedronken," zei Romana kortaf. „Om maar meteen de kern van de zaak aan te snijden: Ik heb een verschrikkelijke hekel aan halve waarheden, die zijn vaak erger dan leugens. Waarom hebt u zich daar tegenover mij vanmorgen van bediend?"
„U durft wel, hé?" De grijze ogen waren scherp en oplettend. Rita, die zwijgend op de achtergrond bleef, vond dat hij ronduit achterdochtig keek.
„Waarom niet? Ik heb er recht op u die vraag te stellen en waarom zou ik niet durven... een verlegen stewardess is geen usance, nietwaar?"
Romana haalde haar schouders op. „Ik ben gewend problemen op te lossen."
„Gaat u toch zitten." Van de Mortel werd ongeduldig. „Wat bedoelt u met halve waarheden?" Romana ging inderdaad zitten en Rita volgde het voorbeeld. Ze zakten beiden ongelooflijk diep weg en van de Morel grinnikte, hij kon het niet laten.
„Nou, kijk, ik vind het vrij onaangenaam telkens met u en uw vriend geconfronteerd te worden, dat in de eerste plaats." Romana trachtte haar waardigheid weer op te bouwen, wat niet zo best ging omdat de stoel tot lighouding noopte, Rita keek heel erg ongelukkig.
„Mijn vriend? Welke vriend? Als u Montez bedoelt, dat is geen vriend van me," zei van de Mortel kalmpjes.
„Ach neen?" Romana worstelde zich omhoog en zei stijfjes: „Ik ga liever op de bank tegenover u zitten. Wat wil jij, Rita? Blijven liggen?"
„Neen... eh... neen," stotterde Rita, en greep Romana's uitgestoken hand alsof het een reddingstouw was. „Wat een afschuwelijke stoelen, zeg." Van de Mortel wachtte met spottend opgetrokken wenkbrauwen tot de dames zich opnieuw hadden geïnstalleerd.
„U kunt natuurlijk doorgaan met een spottende houding aan te nemen." Romana's stem klonk zacht maar heel vastberaden. „Toch wil ik deze, voor mij heel onaangename zaak, graag uit-

praten. Dat probeer ik namelijk altijd te doen."
Het bleef even stil, een gespannen stilte. Romana wachtte uiterlijk rustig af, Rita, met een vuurrode kleur, zat op haar stoel te draaien en voelde zich duidelijk slecht op haar gemak. Marek van de Mortel keek nadenkend naar Romana en waardeerde het ongewone en toch wel moedige besluit dat ze had genomen: niet weglopen... ga er op af.
„Goed, dan doen we dat." Hij veranderde van een sarcastische vreemdeling met onaangenaam spottende ogen in een gewone, aardige en goed aanspreekbare jongeman. Waarom hij eerder zo vijandig had gedaan bleef voor Romana een raadsel, maar ze vond het al een winstpunt, dat hij praten wilde.
„Om nog eens op uw laatste opmerking terug te komen... Montez is mijn vriend niet en ik zou het prettig vinden als u me eerst eens uitlegde wat u bedoelt met die voortdurende confrontatie met... eh... mijn zogenaamde vriend en mij?"
Romana staarde hem verbaasd aan. „Dat weet u toch zeker wel, maar als u het nog eens wilt horen: stewardessen maken heus genoeg roerende, malle, aardige en ongewone dingen mee... vanzelfsprekend, met een eindeloze stroom vreemde mensen die je moet helpen, waartegen je vriendelijk praat, die je soms moet proberen gerust te stellen. Ik ben dat allemaal gewend, maar een vogel als Montez maak ik niet iedere dag mee, die begint met al zijn paperassen over de grond te strooien, nu ja, dat is dan super onhandig, want wie ter wereld komt er een vliegtuig binnen met een arm privépapieren los onder zijn arm? Juist, ja, Montez! Ik hielp de man en het resultaat was, dat ik minstens dacht dat we op een overval of kaping aanstuurden. Het is tenminste niet normaal je dank te betuigen voor enige verleende hulp, door de stewardess in je armen te knellen. Het zal zijn zuidelijk temperament wel zijn geweest, maar hij trok me bijna omver. Dat zult u best hebben gezien. Iedereen lachte. U hebt ook gehoord en gezien, dat hij me met excuses bleef achtervolgen, tot vervelens toe. U zat aan de andere kant en u keek voortdurend sarcastisch en spottend, zoals u zoëven ook deed. Kijk, meneer van de Mortel, ik had daar echt niet om gevraagd... of dacht u van wel?"
Romana wachtte op zijn instemming met haar woorden maar hij vroeg alleen rustig: „Wilt u verder gaan met uw visie op de zaak?"
„Neen, wacht even. U zegt dat alsof u een heel andere visie op de zaak had, of hebt." Opnieuw bewonderde Marek haar scherp inzicht. „Misschien zou je het ook zo kunnen zien, dat u Montez

wel kende en dat het een beetje een... eh... toneelstukje voor twee personen was, dat daar werd opgevoerd." Hij hield haar scherp in het oog maar ze bleef hem vijandig aankijken en werd eerst vuurrood en daarna bleek.
„Wat een kolder," zei Romana. Haar stem was hees en de donkere ogen waren zwart van woede. „Hoe komt iemand op zoiets. Dit is werkelijk ongelooflijk en het miserabelste staaltje van achterdocht en in feite kleinzielige 'Kijk haar es, ze zal wel' – mentaliteit, dat ik ooit heb meegemaakt. Ik zou me schamen als ik Van de Mortel heette... bah!"
Ze stond met een ruk van haar stoel op. „Kom mee, Rita... met zulke mensen wens ik geen fatsoenlijk gesprek te voeren."
„Wacht eens even." Mareks stem klonk gebiedend. „Ga zitten... en luister. Je denkt voorlopig maar wat je wilt, maar ik zou m'n verhaal toch maar afmaken en alsjeblieft niet op dezelfde rellerige toon, waarop je je beschuldiging aan mijn adres hebt geuit, nu dan? Je bent hier gekomen om te praten. Of je het nu prettig vindt of niet... ik heb gewoon gezegd, wat ik dacht. Daar zijn we mee bezig en met niets anders. Wil je je verhaal verder vertellen?"
Op de een of andere manier, die ze niet kon verklaren deed Romana wat ze beslist niet van plan was geweest: ze ging weer zitten en gehoorzaamde, waarschijnlijk omdat haar verontwaardiging over de hele geschiedenis zo groot was, dat ze de rest van haar beschuldiging toch niet ongezegd kon laten. Hij zou weten, wat ze ervan dacht en dat ze het voortaan niet meer zou nemen.
„Als ik ooit nog wordt lastig gevallen sla ik groot alarm, dat wilde ik eerst even zeggen," beet ze van de Mortel toe. „Wie heeft nog geen uur later geprobeerd me klem te rijden op de dienstweg Schiphol Oost? Ik had het aardig benauwd. Als Montez een vriend van me was geweest, zou hij geen moeite hebben gedaan me op een dergelijke gevaarlijke manier met zijn avances te blijven vervolgen, of wel soms? In ieder geval dook er opeens een blauwe wagen op, die Montez ging dwarszitten en ik ben er vandoor gegaan. Ik heb niet kunnen zien wie er in die blauwe wagen zat, maar ik ben nog nooit zo blij geweest met het verschijnen van een auto."
„Dat was mijn wagen en als Montez mijn vriend was, zoals jij denkt, zou ik hem niet hebben lastig gevallen in zijn minder fraaie plannen want je hindert niet op die manier een medeweggebruiker... En nu jij weer...
„Die Montez is dus van jullie geen van beiden een vriend!" De

droge opmerking kwam van de achtergrond. Ze keken allebei min of meer verschrikt naar Rita, die nog geen mond had opengedaan.
„Maar hij zit wel achter Romana aan, want hoe kwam ie anders vanmorgen hier, of logeert die engerd hier ook?"
„Neen, hij logeert hier niet, voor zover ik weet." Van de Mortel barstte in een hartelijke lach uit, die zijn gezicht jong en aardig maakte.
„Rest nog waarom ik hier zit. Bij dit hotel, mijn lieve dames, is een deel van mijn familie, onder andere mijn vader en mijn oom, zakelijk betrokken en ik logeer hier wel meer voor een paar dagen."
„Ik woon hier m'n hele leven al maar heb u nooit gezien," zei Rita en haalde de schouders op. „Nou ja, dat zegt niets, ik heb wel iets anders te doen dan me met praatjes en de gaande en komende gasten van 'Union' bezig te houden. Is het waar, dat ze weer aan het zeuren zijn over een dependance? In de zomermaanden zit 'Union' altijd vol en al jaren lang proberen die lui van de directie, die je overigens nooit ziet, Het Boshuis te pakken te krijgen. Het is ze nooit gelukt, het is van Romana's familie."
Romana vond het vervelend, dat Rita opeens zo mededeelzaam werd en het nodig vond het bijzonder zwijgzame begin in te moeten halen.
Rita kon overigens niet weten, hoe ongelukkig die opmerking over het onneembare fort dat Het Boshuis altijd was geweest, bij Romana aankwam. „O, juist, nou, ik persoonlijk zit er niet achter aan," merkte Marek op. „Ik dacht wel eens te hebben gehoord dat Het Boshuis lang geleden ook een hotel was."
„Min of meer, het is altijd een beetje blijven hangen; vakantiehuis van de familie en een soort familiepension, maar dat heeft niet lang geduurd." Het klonk zo afwerend, dat ook Rita het begreep en weer in somber zwijgen terugviel.
Romana dacht weliswaar vriendelijker over van de Mortel maar dat hield nog niet in, dat alles haar nu duidelijk was. Bovendien geloofde ze niets van het smoesje dat zijn opduiken in Boshegge aannemelijk moest maken. „Wie heeft er dan vanmorgen naar mijn woonadres gebeld en aan mijn tante gezegd, dat ik naar Schiphol moest komen? Ze belde mij natuurlijk meteen daarover op en vond het vreemd. Ik wist bijna zeker dat het onzin was, maar belde natuurlijk toch... loos alarm! Helaas had mijn tante tegen die opbeller gezegd, dat ik in Boshegge zat, zodoende."

Romana keek hem onafgebroken aan maar zag geen teken van onrust op zijn gezicht.
„Ik heb in ieder geval niet gebeld, misschien dat Montez dat heeft gedaan. Hij is er vandoor, ik niet, zoals je ziet. Een vreemde samenloop van omstandigheden voor zover het mij betreft, wat Montez' intenties dan ook mogen zijn."
„Jaja," mompelde Romana en had zuiver het gevoel, dat ze ergens op 'n enorme manier voor de gek werd gehouden. „Jaja, en heel toevallig doken jullie allebei vanmorgen bij de Dennen op en je vond het nodig om Dirk, Rita's man de indruk te geven, dat ik een tikje half gaar ben, aan achtervolgingsangst lijd of zo. Nu, dat is beslist niet zo. Ik vind alles nog net zo ondoorzichtig als voor ons gesprek, alleen weet jij dan, neem ik aan, dat ik geen vriendin van Montez ben en ik moet aannemen, dat jij geen vriend van hem bent. So what!"
Ze had het formele 'U' laten varen en Marek van de Mortel ging daar op in, door losjes te zeggen: „Ik ben Marek van de Mortel. Zeg alsjeblieft Marek en ik hoop dat ik Romana mag zeggen, of word je niet zo genoemd?"
„Ja, alsjeblieft geen afkortingen," zei Romana kortaf. „Romana is het, Roma mag. Alsjeblieft nooit Romy. Er is maar één wereldberoemde heel bijzondere Romy geweest en iedereen denkt alleen aan haar als er Romy wordt gezegd. Zo wil ik beslist niet genoemd worden. Aan haar de eer, snap je?"
„O jawel, een naam kan heel veel betekenen al heeft Shakespeare ooit gezegd: What is in a name! Romana vind ik ook een heel mooie naam, daaraan moet niets verknipt worden." Voor Marek was de hemel opgeklaard en de moeilijkheden uitgepraat en voorbij, voor Romana lag het niet zo gemakkelijk, want ze bleef het toch een vreemde geschiedenis vinden.
„Ik vraag me af..." Dat was Rita weer. Meestal zette ze met zo'n los daarheen geworpen opmerking de punt stevig op de 'I.' „Ik vraag me toch nog steeds af, wat die gekke Montez van Romana moet. Zou hij opeens onsterfelijk verliefd op haar zijn geworden?"
„Zulke dingen gebeuren nu eenmaal," merkte Marek kalmpjes op en hij grinnikte om de boze blik uit twee nachtzwarte ogen in Rita's richting. De jongedame was geen katje om zonder handschoenen aan te pakken.
Een heel mooi meisje, dat hem herinnerde aan een vrouw die hij in een of andere Magazine had gezien, maar hij wist niet op wie ze leek; het zou wel een of andere filmster zijn, vermoedde hij en

toen hij iets in die richting opperde, omdat er tenslotte iets gezegd moest worden nu Romana daar afwachtend en zwijgend bleef zitten, wat op zijn zenuwen ging werken, kreeg hij als dank een werkelijk nijdige blik te verwerken. „O neen, hoor, ze lijkt niet op een of andere filmster," wierp de onverbeterlijke Rita zich in de strijd. „Je zal haar moeder bedoelen, die staat altijd in alle mogelijke tijdschriften, nietwaar Romana?"
Romana wenste haar zo duidelijk met haar zwarte ogen naar de Mokerhei, dat Marek opnieuw hartelijk in de lach schoot.
„Mag ik vragen wie je moeder dan wel is?" vroeg hij met zijn meest innemende stem. „Een hele beroemdheid zeker?"
Romana ging rechtop zitten, het hoofd licht achterovergebogen. Er ging zoveel waardigheid en trots van haar uit, dat Rita, die eruit had willen flappen wie de moeder van Romana was, haar mond weer dichtklapte. „Natuurlijk mag je vragen wie mijn moeder is. Ik ben heel erg trots op haar en op mijn vader. Ze zijn echt heel bijzondere, heel lieve mensen. Mijn moeder en vader zijn Merel en Alexander Paluda."
Er was ondanks de ontroerende trots waarmee ze het zei, iets van angstige spanning en afweer in heel haar uiterlijk: waag het niet zo maar iets te zeggen, of misschien weet je niet eens wie we zijn. Maar Marek reageerde onmiddellijk en spontaan: „Nou begrijp ik waarom je zo trots als een pauw kijkt!" Marek ging nog wat rechterop zitten en bekeek Romana, alsof hij zijn ogen en oren niet vertrouwde en zei zachter: „Wat een fantastische danseres. Ik heb haar een keer in New York zien dansen en ik bewonder trouwens de foto's die je vader maakt. Ja, je lijkt heel sterk op haar maar ik heb Merel nooit dichtbij gezien. Is ze werkelijk zo mooi?"
„Mooier," zei Romana vlug en voor het eerst was de ijslijn tussen hen gesmolten, ze lachte blij en gelukkig. Iemand moest het eens wagen haar ouders, en vooral Merel, niet te kennen...
„Ik ben pas in Los Angelos bij hen geweest, ik zie ze veel te weinig," vertelde ze heel spontaan opeens. „Dat is het mooiste wat me dit jaar is overkomen. Het gaat zo vlug voorbij. Ja, dat was het dan wel. Ik vind het toch wel prettig, dat we gesproken hebben over de vreemde voorvallen van de laatste dagen."
Romana stond op en stak Marek de hand toe; er bleef toch steeds een zekere gereserveerdheid in haar woorden en gedrag. Marek bleef haar hand vasthouden en daardoor kon ze niet anders doen dan hem aankijken en dat was dan ook de bedoeling.
„Ben je gerustgesteld, Romana?" vroeg Marek heel rustig en ern-

stig. „Dat wil ik heel graag weten. Zeg niet uit beleefdheid ja als het neen moet zijn."
„Neen is het antwoord, want het enige wat me duidelijk is geworden is, dat Montez geen vriend van je is, waar ik overigens weinig mee opschiet, want met hem kan ik niet praten. Bovendien, als hij spoorslags weer uit Boshegge is vertrokken, wat kwam hij er dan doen. Achter mij aanlopen, denk ik. Nou, ik hoop niet dat hij gestoord is. Je kunt natuurlijk wel zeggen dat ik me er maar niets van aan moet trekken, maar ik rijd iedere dag in mijn auto en als er dan zo'n dwaas achter je aan zit die zich gedraagt zoals hij dit deed op de dienstweg, dan is dat niet zo amusant. Je ziet, ik heb eerlijk antwoord gegeven."
„Ja," zei Marek langzaam. Hij liet haar hand langzaam los en deed een stap terug. „Tot ziens, Romana, dank je, omdat je bent gekomen." Ze liep met Rita naar de deur.
„Een ogenblikje, Rita." Ze liep haastig terug naar Marek, die hen nog stond na te kijken.
„Luister, Marek, ben je eerlijk geweest?" Ze vroeg het snel, fluisterend en angstig, omdat ze niet wist of hij niet woedend uit zou vallen.
„Romana, werkelijk, geloof me! Ik weet absoluut niet wat die Montez wil. Als je een meisje aardig vindt of plotseling verliefd op haar wordt, hoef je je toch niet zo idioot aan te stellen als Montez heeft gedaan. Werkelijk, ik weet het niet. Ik wilde dat ik het wel wist, geloof me nou alsjeblieft, kind."
Hij tikte haar met een beschermend gebaar op de schouder, keerde zich om en liep weg.
„Waarom ging jij terug?" vroeg Rita, toen ze buiten liepen.
„Om hem nog eens te vragen of hij eerlijk was," zei Romana en kneep haar handen in de zakken van haar jack tot vuisten.
„En is hij dat?" vroeg Rita op haar karakteristieke korte wijze.
„Ik wou dat ik het wist," mompelde Romana somber. „Wat mij is opgevallen is het feit, dat hij niet heeft gezegd, dat hij Montez niet kent. Het is best mogelijk dat het geen vriend is. Het is ook best mogelijk dat hij het niet eens is met Montez' capriolen, maar kent hij hem werkelijk niet? Handig om het zo te stellen, heel handig."
„Knap van je," zei Rita. „Ze zullen in ieder geval voortaan wel uitkijken. Wat ik nog vragen wil, daar hebben we het niet over gehad vandaag, blijf je logeren? Ja toch?"
„Ik denk dat ik dat maar doe," gaf Romana toe, hoewel ze dit

eerst niet van plan was geweest. Ze had eenvoudig geen zin een rit in het donker naar huis te maken, dwars door het bos. Dat was dan wel leuk overdag, of in een postkoets. Ze schoot in de lach en Rita keek haar verbaasd aan, maar vroeg verder niets.
De avond was gezellig. Ze deed een paar spelletjes met de kinderen, die hier, tot haar verbazing, niet de hele avond aan de T.V. gekluisterd zaten.
„Ze mogen best T.V.-kijken, maar niet domweg zitten staren naar alles wat zich voor hun ogen afspeelt," zei Rita. „Dat vinden ze prima, ze hebben nog zoveel andere dingen te doen, hobby's en schoolwerk. Wietske is op turnles en onze zoon houdt van muziek en wil bij de fanfare en de derde verzamelt postzegels."
Ze reikte naar de rinkelende telefoon. „Voor jou, Romana, het is Marek van de Mortel."
Ze zag duidelijk dat Romana van kleur verschoot.
„Romana, deze keer ben ik het wel. Ga je morgen terug naar huis of blijf je langer?" Ze bleef verbouwereerd zwijgen, zodat hij ongeduldig vroeg: „Romana, ben je daar? Luister je naar me?"
„Ja, hoe wist je dat ik al niet naar huis ben gereden?" Iets intelligenters viel haar niet in.
„Ik weet altijd alles?" zei hij losjes met 'n spottende klank in zijn stem. „Zonder gekheid, Romana, ik heb voor het venster zitten eten en kon zo de weg in de gaten houden. Er is urenlang geen voertuig voorbijgekomen door dit verlaten oord en ik nam dus aan, dat je niet zoveel trek in het bos bij nacht had. Waar of niet waar?"
„Ja, het is zoals je zegt en Boshegge is in de lente en zomer pas weer een levend en gezellig dorp. Je zult je in 'Union' ook wel braaf vervelen, want dat is ook uitgestorven. Doet het er iets toe, dat ik morgen pas naar huis ga?" Ze werd afgeleid door de wild gebarende Dirk. Wat bedoelde die man nou in vredesnaam weer?
„Een ogenblik, er wordt hier iets gezegd..." Ze dekte de microfoon af en siste geërgerd: „Wat doe je toch? Wat bedoel je nou eigenlijk?"
„Laat 'm koffie komen drinken, hij verveelt zich daar en ik wil dat heerschap wel eens nader bekijken. Misschien dat we dan iets wijzer worden. Neen, ik zal heus niet vervelend tegen hem doen. Vraag het nou, Roma!"
„Wat was er voor verwarring?" vroeg Marek, die geduldig had gewacht tot Romana zich weer meldde.
„O, ik begreep het even niet. Ze willen dat je koffie komt drinken

maar het hoeft niet, hoor," zei ze haastig.
„Wat een bijzonder aardige uitnodiging en jij bent het er niet mee eens, maar ik kom toch!" Ze hoorde hem lachen, weer spottend om haar duidelijke verwarring. „Tot dadelijk dan, Romana."
„Hij komt," berichtte ze somber. „Had je niets leukers kunnen verzinnen, Dirk? Ik weet niet wat ik van die Marek moet denken."
„Neen, wij ook niet, dat is het 'm juist," zei Dirk laconiek. „Luister, Roma, je kunt me overdreven vinden, maar ik ben vanaf m'n jeugd met dit huis en jullie familie verbonden. Ik ben niet van plan later van je tante Kyra het verwijt te moeten horen: Had je niet beter kunnen oppassen? Ik wil gewoon met die vent praten, kijken wat hij voor indruk maakt. Ik ben een heel stuk ouder dan jij. Jongelui zien zelden gevaar, maar ik vind dit zo'n vreemde geschiedenis, dat ik er het mijne van wil weten."
„Dat zal hij best door hebben, hij loopt niet bepaald achter," mompelde Romana. „Ik hoor 'm al op het tuinpad. Hij is inderdaad meteen richting Boshuis gewandeld. Ik doe niet open, hoor."
Rita liep naar de voordeur. Romana hoorde haar praten en lachen. De heer Marek van de Mortel leed niet aan verlegenheid of zelfonderschatting, want hij kwam volkomen op zijn gemak de kamer binnen en stevende meteen op Dirk af, stelde zich voor en zei, dat hij blij was met de uitnodiging omdat hij volkomen op het saaie 'Union' was uitgekeken, waarna hij uitgebreid Romana's hand schudde. Ze vroeg zich af wat de vrij gereserveerde Dirk van dit overrompelend heerschap dacht. Het bleek mee te vallen, want het gesprek vlotte meteen, omdat Marek de gave bezat met ieder op zijn eigen niveau werkelijk geïnteresseerd te kunnen praten. Zo leek het in ieder geval. Dirk kreeg het eerste halfuur dan ook geen kans speciale vragen te stellen. Tot Marek zich tot Romana wendde en zei: „Doordat ik uitgenodigd werd hierheen te komen, zijn we bij ons telefoongesprek van het oorspronkelijk onderwerp afgedwaald. Ik vroeg, of je morgen naar huis gaat, weet je nog wel?"
„Ja... waarom wil je dat weten?" vroeg ze op licht afwerende toon. „Ik heb thuis nog een en ander te doen, overmorgen moet ik weer werken." Mareks ogen gleden van Romana naar Dirk en Rita en hij voelde de spanning. Zijn wat stuurse gezicht werd opeens heel warm en vriendelijk, hij boog zich licht voorover in de richting van Dirk en Rita.
„Ik begrijp waaraan ik deze heel prettige uitnodiging te danken

heb en je moest eens weten hoe ik het op prijs stel, hoe geweldig goed ik het vond, dat Romana er met Rita eerlijk op af kwam. Natuurlijk is er iets, maar dat heeft met mijn werk te maken, niets met Romana en dat Montez haar als een dwaas achternaloopt is voor mij net zo'n groot raadsel als voor jullie. Ik ben daar helemaal niet blij mee en als ik in het begin nogal vreemd, sarcastisch heb gedaan, dan is dat alleen omdat ik dacht, in het vliegtuig al, dat Montez Romana ergens van kende, bevriend met haar was. Ik wilde dat weten en reed bij Schiphol Oost achter hun wagens aan om tot de ontdekking te komen dat Montez bezig was Romana's wagen van de weg te drukken. Ik heb 'm daarna niet meer uit het oog verloren en wist, hoe doet er niet toe, dat hij je huis had gebeld en op weg ging om je in Boshegge te ontmoeten, hoe dan ook. Zijn beweegredenen ken ik niet, maar ik vond het geen prettig idee dat je misschien vanavond terug naar huis zou rijden."
Het bleef even stil. Toen zei Romana en bleef hem strak aankijken: „In plaats van me te bedreigen ben je dus voortdurend mijn beschermengel geweest en daar ben ik natuurlijk blij mee, maar..."
„Maar," herhaalde hij en hij had nog niet zo onafgebroken in die grote, zwarte ogen gekeken. Door die prachtige ogen was hij een ogenblik zo van de kaart, dat hij niet meer wist waarover ze het hadden.
„Maar... maar wat bedoel je?" begon Romana te stotteren en kreeg een kleur. Marek zat haar opeens zo vreemd, zo wazig aan te staren alsof zijn gedachten niet meer bij hun gesprek waren en dat had ze dan heel goed gezien.
Ze waren opeens allebei de draad van hun gesprek kwijt en Rita redde hen door Romana die draad weer in handen te geven.
„Ja, jij neemt nooit genoegen met de gemakkelijkste oplossing, dat weten we allemaal en zeg maar gelijk wat je nu nog dwarszit?"
„Ja, kijk, ik begrijp nu wel dat Montez geen vriend is van jou, Marek, maar... en daar is die vervelende 'maar' weer, je hebt niet gezegd dat je hem niet kent, en dat is iets heel anders." Rita en Dirk keken haar verbaasd aan en Marek keek alsof hij Romana's intelligentie liever op een iets lager pitje had willen plaatsen. Er heerste opeens een ongenoeglijk zwijgen.
„Welwel," mompelde Marek tenslotte. De lichte sarcastische toets was er weer in zijn ogen en zijn stem en dat ergerde Romana maar misschien deed hij dat nu, omdat hij zich niet op zijn gemak voelde. „Wat bijdehand, mijn mooie Watson!"

„Waarom niet Sherlock Holmes himself. Ben jij dat soms?" spotte ze vinnig terug. „Ik kan het ook niet helpen, dat ik gewend ben goed na te denken en niet klakkeloos aan te nemen wat me voorgeschoteld wordt. Dat bedoel ik onder andere met halve waarheden en het spijt me, als je dat onprettig vindt."
„Of ik het onprettig vind, doet er weinig toe," zei Marek zeer kortaf en duidelijk geërgerd. „Ik kan er verder weinig of niets over zeggen, alleen dit ene: hij is gevaarlijk en blijf uit zijn buurt."
„Ja, als hij maar uit mijn buurt blijft is het allemaal prima geregeld." Romana kon er niets aan doen, dat ze er langzamerhand ongeduldig onder werd. „Wie loopt er achter wie aan? Nou dan! Ik beloof je dat ik de heer Montez af zal schudden als ik daar kans toe zie, maar verder ga ik heel gewoon m'n gang en ik weiger me de achtervolgde te voelen en voortaan overal schichtig rond te kijken. Ik doe het gewoonweg niet."
„Dapper maar dom," zei Marek droog. „Je kunt toch gewoon een beetje uitkijken en geen eenzame wegen zoeken om te rijden of te wandelen?"
„Ja, maar dan is het einde zoek," hield ze koppig vol. „Als je geen open kaart kunt spelen, moet jij dat zelf weten maar stel mij dan geen eisen."
Marek keek somber voor zich uit, hij kon haar niet vertellen, dat zij als pion in een gevaarlijk spel de zaak extra moeilijk maakte, omdat nergens in de spelregels voorkwam, dat Montez te veel inzicht kreeg in de identiteit van de mensen die hem in het oog hielden; omdat het meisje, dat erbij gesleept was in de gaten moest worden gehouden en dit kon niet als hij, Marek, niet af en toe op de weg van Montez kwam.
Romana zelf loste het probleem min of meer op, door te constateren: „Je wilt het niet zeggen, maar ik denk, dat jij op de een of ander manier achter Montez aanzit... waar of niet waar?"
„Ja, zo is het," gaf Marek na een korte aarzeling toe. „Dat had hij niet moeten weten, maar jij begrijpt het, hij natuurlijk ook, omdat ik er niet omheen kan. Ik ben niet hard genoeg om uit een schuilhoek toe te zien hoe hij jou te pakken neemt, hoewel ik niet begrijp wat hij van je moet... zo is dat en niet anders. Daarom dacht ik eerst, dat jij zijn vriendin was, bij die voorstelling in het vliegtuig."
„Ja, ik begrijp jou wel, maar ik begrijp verder weinig van de hele geschiedenis." Romana hief in wanhoop haar handen op. „Gelukkig maar, dat mama en papa hier niets van weten, ze zou-

den dodelijk ongerust zijn en Dirk en Rita, doe me een groot genoegen en zwijg er ook over tegen Kyra en Michael. Ik wil geen sensatie."
Dirk en Rita keken bedrukt en Marek zei op zijn nu al bekende sarcastische wijze: „Ik wil, jij wilt, zij willen... maar wat ZIJ WIL geeft de doorslag."
„Ik vind dat een heel vervelende opmerking," zei Romana hooghartig. „Als we het over 'zij wil' hebben, dan wil zij maar één ding: Met rust worden gelaten."
„Ja, je hebt gelijk, dat was niet fair van me. Ik ben niet zo gauw uit het lood te slaan maar hier zit ik wel mee, omdat ik bang ben dat jij gevaar loopt, op een manier, die ik nog niet begrijpen kan, al pieker ik me suf."
„Nou ja, misschien is hij opeens zo verschrikkelijk in liefde ontvlamd," zei Rita, die overigens niet zo romantisch was. „Dat kan toch?"
„Uitgesloten," zei Marek zo beslist, dat Romana, die de humor er van onmiddellijk inzag, begon te gieren van de lach.
„Nou, jij bent complimenteus, hoor!" hikte ze tussen twee lachbuien door.
„Ik ben er meteen van overtuigd, dat het een onmogelijkheid is zo maar op mij verliefd te worden... hartelijk dank, Marek!"
„Daar zou ik maar niet zo zeker van zijn," zei Marek en glimlachte superieur een tikje vaderlijk. Blijkbaar vermaakte haar spontane lachuitbarsting hem wel maar vond hij het nogal overdreven.
„Ik weet ook beter," antwoordde ze uitdagend. „Jij schijnt niet zoveel gevoel voor humor te hebben. Jammer, maar daar doe je weinig aan."
„Met andere woorden, je vindt me een stijve hark?" informeerde Marek. Ze kon hem langzamerhand wel slaan als hij dat sarcastische toontje aansloeg. Jij bent aardig, ik ben verstandiger, dat beluisterde Romana erin en dat ergerde haar natuurlijk.
„Neen, maar jij denkt dat je alles beter weet en beter kunt... ach, laat maar!" Ze realiseerde zich te laat dat hij niets kwetsends had gezegd maar dat zij dit alleen maar dacht, omdat hij sarcastisch keek... misschien kon hij daar niets aan doen.
„Het is doelloos elkaar voortdurend op ieder woord te pakken, het is geen schaakspel, tenminste, ik hoop, dat het niet zo is," zei Marek kalm. „Misschien komt het omdat we elkaar niet goed kennen en dan blijf je raden naar de juiste bedoeling van woorden, maar het blijven alleen maar woorden. Ik wil zonder meer, dat

jou niets onaangenaams overkomt en ik ben heel blij, dat je naar me toe kwam. Zullen we het daar voorlopig bij laten, Romana? Ik wilde je vragen of je het goed vindt, dat ik morgen tegelijk met jou terugrijd."
„Heb je dan geen wagen bij je?" vroeg Romana en bedwong de neiging weer een kribbig antwoord te geven.
„Jawel, maar die haal ik later wel op," zei Marek eerlijk. Het had geen zin Romana sprookjes te vertellen, ze prikte overal dwars doorheen. „Ik wil gewoon weten, dat je ongehinderd thuiskomt."
„O, schei er nou toch over uit! Wou je me soms voortaan naar en van mijn werk begeleiden? Dat kan toch niet en het is onnodig. Ik heb echt niets tegen je gezelschap en als je mee terug wilt rijden in mijn armzalige rode ros, goed, maar neem in vredesnaam afstand van het verhaal op de achtergrond."
„Er is nog een reden waarom ik met je mee wil rijden. Mocht Montez ons zien, je kunt nooit weten, dan zal hij denken, dat ik een goede vriend van je ben en daarom steeds in jouw buurt. Ik hoop, dat hij niet weet dat mijn belangstelling voor hem niet alleen met zijn vreemde gedrag tegenover jou heeft te maken. Begrijp je wat ik bedoel?"
Dat begreep Romana heel goed, maar ze was toch met een heel ander probleem bezig: De dreigende verkoop van Het Boshuis en wat daaraan gedaan kon worden. In plaats daarvan had ze nog niets anders gehoord en helaas ook gezien dan Montez en ze kreeg er danig genoeg van.
De telefoon rinkelde en Rita nam aan, maar niemand meldde zich, hoewel ze steeds ongeduldiger „Hallo," riep en tenslotte kwaad werd: „Als je een verkeerd nummer hebt gedraaid zeg dat dan, onbeleefde hark!"
„Nou ja, er was verbinding en ik hoorde duidelijk ademhalen," verontschuldigde Rita zich. „Ik vind zoiets erg irriterend."
„Het zal Montez wel weer geweest zijn." mompelde Romana en oplevend vertelde ze enthousiast: „Het gaat langzamerhand lijken op een verhaaltje uit de laatste wereldoorlog. Overal op de wereld, op schuttingen, muurtjes, enfin, op alles waar je maar op kon schrijven verscheen een gek klein tekeningetje, een ventje, of eigenlijk alleen de bovenkant van een gek koppie. Ogen die over een muurtje keken, een grote neus... heel geheimzinnig... een spionnetje dus. Er stond overal altijd maar dit ene onder: 'Kilroy was here' Het betekende waarschijnlijk niets, maar het was intrigerend. Kilroy, als mens, bestond niet. Wie deed het,

overal? Men denkt, dat heel veel mensen eraan meededen, gewoon een soort grappige epidemie."
„Ja, ik heb het wel eens gelezen, een soort 'Onvindbare Pimpernel' geschiedenis," zei Marek geamuseerd. „Ze zoeken 'm hier, ze zoeken 'm daar, ze zoeken 'm overal, de onvindbare Pimpernel. Dat boek is diverse malen verfilmd, maar het blijft aardig, de verzetsheld uit de Franse Revolutie. Kilroy en de Rode Pimpernel mogen dan op fantasie berusten, Montez in ieder geval niet, helaas!"
„Ja, maar als iemand nu nog een keer die naam noemt, word ik werkelijk boos," zei Romana kortaf; haar ogen leken roetzwart opeens. „Ik wil er nu geen woord meer over horen."
Marek maakte aanstalten weg te gaan, hij hield Romana's hand lang in de zijne en zei veelbetekenend: „Boos mag je zijn, als je er maar niet vandoor gaat... beloofd?"
„O ja, hoor, zeur er niet over. Tot waar rijd je eigenlijk mee?" Ze trok ongeduldig haar hand terug. „Waar woon je? Dat weet ik niet eens."
„Ik woon in Den Haag en werk daar bij een Bank." Het antwoord kwam te vlot en Romana dacht: „Of hij verwachtte de vraag en liegt, of het zou toch de waarheid kunnen zijn. Ik vind 'm veel te vrijbuiterig voor een rustige kantoorbaan."
Dirk liet de gast uit en liep met hem mee tot aan het tuinhek. Daar bleven ze een tijd zwijgend staan, tot Dirk, de stille, een beetje moeizaam informeerde: „Hoe gevaarlijk is Montez?"
„'t Kan niet erger," antwoordde Marek rustig.
„Maar... waarom?" vroeg Dirk ongerust. „Waarom Romana?"
„Ik wou dat ik het wist." Juist door dat korte, eerlijke antwoord drong de ernst van de situatie tot Dirk door.
Alsof hij Dirks gedachten raadde, zei Marek op dezelfde kalme toon: „Het is doelloos naar de politie te gaan, er is immers nog niets gebeurd. Ik ben de enige die op haar kan letten en dat zal ik doen, zoveel als in m'n vermogen ligt. Romana ziet het niet donker in, werkt dus niet mee en ik wil ook niet, dat ze zich als een angstig, opgejaagd konijn gaat gedragen. Zodra ik uitgevist heb, waarom hij achter Romana aanzit, is het voorbij, maar ik weet het niet... ik weet het werkelijk niet. Dirk, bel jij me morgenochtend op tijd. Ze zou er toch vandoor kunnen gaan, deze niet zo snel klein te krijgen jongedame. Ik verzeker je dat het moeilijk is, op zo'n persoontje te passen; dat soort glipt op alle mogelijke manieren door je vingers."

Hij groette Dirk en liep vlug terug naar zijn hotel, langs een andere weg dan te doen gebruikelijk... voor de zekerheid.
Romana was intussen naarboven gegaan. Rita had werkelijk geen hulp in de keuken nodig voor de paar kopjes en glazen, zei ze en Romana was blij dat ze kon ontsnappen voor ook Rita weer over hetzelfde onderwerp begon.
„En ik, die dacht een heerlijk rustig dagje in Boshegge te kunnen doorbrengen om na te denken over het huis," dacht ze terwijl ze peinzend naar haar spiegelbeeld keek en haar haren borstelde.
„Nou ja, als ik eerlijk ben... het is wel gezellig dat Marek met me meerijdt. Ik mag 'm eigenlijk wel."
Ze maakte zich nooit zorgen over dingen die eventueel konden gebeuren. Ze was zeker niet oppervlakkig maar bezat een bijzondere karaktereigenschap. Hoewel ze beslist niet roekeloos was kende ze geen angst voor eventueel dreigend gevaar. Als het anders was geweest zou ze niet geschikt zijn geweest voor het beroep, dat ze met zoveel plezier uitoefende.
Voor Romana insliep dacht ze overigens alleen nog maar aan Het Boshuis en wat ze kon doen om te voorkomen, dat het voor de familie en zeker ook voor Dirk, Rita en de kinderen verloren zou gaan.

HOOFDSTUK 4

De volgende morgen werd Romana, die om halftien wilde vertrekken om kwart over negen opgebeld door Marek, die meldde dat hij van plan was haar te komen halen.
„Heb je je ontbijt al op en schikt het je of wil je nog wachten?" vroeg hij zakelijk, alsof hij meedeelde dat de taxi in aantocht was.
„O, dus je meende het! Het lijkt me zo lastig voor je later je wagen te moeten gaan ophalen. Ik vind het wel gezellig samen te rijden, maar je zit waarschijnlijk ook niet zo gemakkelijk in mijn kleine rode gevaar. Enfin, dat is jouw keus. Tot dadelijk... ik wacht op je." Ze trok een lang gezicht tegen Rita, die belangstellend bij de deur was blijven staan met de koffiekan in de hand.
„Wat doe jij ongemakkelijk," zei ze misprijzend. „Ik vind Marek heel aantrekkelijk en het lijkt me best leuk als zo'n man zoveel belangstelling voor je heeft, met alle liefde voor Dirk, hoor. Ik bekijk het even van jouw standpunt. Doe eens wat gezelliger, zeg."

„Ja, je vergeet dat het Marek niet om mij te doen is." Romana werd ongeduldig. „Ik voel me min of meer alsof ik word opgebracht, en in vredesnaam, houden jullie allemaal je mond tegen Kyra over dat gedoe met die Montez. Ik bedoel helemaal zwijgen, Rita... anders is m'n ellende niet meer te overzien."
„Uuuuhhh," bromde Rita, die van plan was geweest, zodra Romana weg ging, naar de telefoon te hollen en Kyra op te bellen. Gevoel voor sensatie was haar niet vreemd.
„Ik ken jou," zei Romana zachtjes tegen de deur waarachter Rita was verdwenen. „Je laat het maar, dame."
Ze moest het dan maar aanvaarden, dat Marek het in zijn hoofd had gehaald haar op deze wonderlijke manier thuis te brengen en ze weigerde vanaf dat ogenblik te veel waarde te gaan hechten aan de vreemde achtergrond van een en ander. Angst is geen goede begeleider en ze wilde vrij en tevreden haar leven leiden zoals dat tot eergisteren was geweest. Ze voelde zich nu niet bepaald prettig met de wetenschap, dat een dwaas, die Montez heette, te veel belangstelling voor haar koesterde. Er liepen nu eenmaal zoveel vreemde figuren met onnaspeurlijke voornemens rond, dat risico was niet uit te sluiten. In het begin had ze zich even paniekerig gedragen maar ze wilde dat niet langer. De eerste voorwaarde om haar gewone leefpatroon weer op te nemen, was om zo normaal mogelijk te doen en niet van iedere schaduw te schrikken.
Ze was van plan dit ook zo vlug mogelijk Marek aan het verstand te brengen. Toen hij dan ook, na de eerste zwijgzame ongemakkelijke ogenblikken samen in het rode autootje zowaar weer over Montez wilde beginnen, maakte ze daar vastbesloten een eind aan.
„Luister Marek, ik ben gelukkig een vrij en redelijk tevreden mens en dat wil ik graag blijven. Oplettend zijn is nog iets anders dan voortdurend te moeten denken: Er zit iemand met kwade bedoelingen achter me aan... waar is ie nou? Misschien zie ik 'm nooit meer. Natuurlijk kan ik, ook in m'n werk, plotseling met gevaar geconfronteerd worden. Daar zouden ze ook niets aan mij hebben als ik mezelf niet onder controle kan houden en niet iets praktisch zou proberen te doen om de passagiers gerust te stellen, inplaats van hysterisch te gaan rondrennen. Als ik bang van aard was, zou ik uiteraard een andere baan hebben gezocht. Ik bedoel maar, er is voor iedereen altijd een zeker risico, maar als je daar altijd aan loopt te denken kun je wel inpakken. Ik wil er

echt voorlopig niets meer over horen en laten we het alleen gezellig vinden om samen naar huis te rijden. Ik weet heus wel, dat je mijn gezelschap niet zoekt omdat je daar zoveel behoefte aan hebt... dit tot je geruststelling, maar eh... nou ja, ik wantrouw je niet maar ik weet ook dat je niet voor honderd procent eerlijk bent. Is er verder nog iets dat je wilt weten? Zeg het dan nu maar meteen."

„Je vergist je, Romana, als je denkt dat mijn belangstelling niet meer is, dan alleen min of meer zakelijk. Ik kwam het vliegtuig binnen en zag jou. Je herinnerde me aan een ander gezicht, een beroemd gezicht, bij nader inzien het gezicht van je moeder en ik vond het prettig naar dat levendige vriendelijke gezicht te kijken. Het deed er eigenlijk niet toe of dat nu een mooi of minder mooi gezicht was, jij zat erachter. Het was, zoals men dat tegenwoordig zegt, jouw bijzondere uitstraling die me boeide. Ik liep door en meteen hoorde ik achter me een ongewoon geluid. Je weet het, al die troep papieren over de grond, en alles wat er bij zo'n nerveuze situatie past en Montez die zich overdreven stond te gedragen. Het is dus niet zo, dat ik daardoor alleen met je wilde praten. Ik had je allang gezien en vond je meteen bijzonder."

„Je keek anders spottend. zodra ik, beroepshalve, hoor, in jouw richting keek, maar nu weet ik dat je heel vaak zo kijkt." Ze keek vlug even in zijn richting, en zag alleen maar verwondering in zijn ogen.

„Doe ik dat heus? Nou, dat is dan misschien om verlegenheid te maskeren," opperde hij en Romana kon er niets aan doen, dat ze daarom luid en hartelijk moest lachen.

„Kun je geen beter smoesje verzinnen?" stelde ze voor. „Wil je werkelijk dat ik het geloof?"

„Het was ook geen gewone verlegenheid," klonk Mareks stem ongeduldig. Hij kon de lachbui blijkbaar niet waarderen. „Ik wilde graag met je praten, maar ten eerste heeft een stewardess waarachtig wel iets anders te doen dan gezellige gesprekken met passagiers te houden als haar hulp niet gevraagd wordt en die werd wel aan alle kanten gevraagd en bovendien wist ik meteen dat jij niet te lijmen bent met de gewone aanvangsceremonieën als betekenisvolle glimlachjes, complimentjes, en ga zo maar door. Daarom keek ik waarschijnlijk spottend, tenminste, dat zeg jij, dus het zal wel waar zijn maar zo bedoelde ik het niet. Het leek me overigens onmogelijk, dat er op jouw achtergrond niet het

beeld zichtbaar zou worden van een geliefde vriend of, nog erger… een liefhebbende echtgenoot. Is dat zo?"
„Neen, want dan zou ik nu niet met jou op pad zijn, hoe onschuldig dat ook is." Ze zei het nogal kortaf. „Maar breng een liefhebbende man maar eens aan zijn verstand, dat je niets bedoelt met een autotochtje met een betrekkelijk vreemde man. Vandaar dat ik het niet zou doen… hoe antiek het ook mag klinken. Het heeft niets te maken met 'elkaar vrijlaten'. In zeker opzicht moet het kunnen, maar ik zou het gewoonweg niet leuk vinden en het ook niet doen. Je moet je nooit iets laten opdringen omdat het 'bij deze tijd behoort'. Ik wil leven en handelen zoals IK dat goed en verantwoord vind, en niet zoals andere mensen dit van me eisen omdat het zo hoort. Er hoort niets, dat je niet eigen is, niet bij je karakter past… Wat een uiteenzetting!"
„Ik waardeer het, Romana, dat je zegt wat je denkt maar het lost het vraagstuk nog niet op: Hoe is het mogelijk dat er niemand is."
Hij keek naar haar profiel en zag dat verstrakken. Ze keerde haar hoofd een ogenblik naar hem toe en haar donkere ogen waren als dolkjes zo fel. „Wat een stomme opmerking," zei ze. „Het spijt me, hoor, maar waar slaat het op? Ik kies niet 'iemand' omdat het zo hoort en het zo zielig lijkt als je alleen… nou ja, wat heet alleen… door het leven gaat, voorlopig. Ik zoek geen statussymbool. In feite zoek ik niets. Als er een man op mijn weg komt, waar ik van ga houden, dan is het tijd genoeg. Die man heb ik nog niet ontmoet en in vluchtige relaties zie ik totaal niets. Ik heb mijn werk, mijn uitgebreide familie, duizend en een plannen en dat is voorlopig echt genoeg, begrijp je?"
„Er bestaat geen enkele twijfel, ik begrijp je. Mijn opmerking was inderdaad niet zo intelligent, maar reageer je altijd en op alles zo fel? Moeten alle woorden op een goudschaaltje gewogen worden?"
„Neen hoor, werkelijk niet." Romana had nu eenmaal snel spijt als ze wat te fel was uitgevallen en het leek haar opeens wel wat overdreven. „Ach, het is nu eenmaal niets meer of minder dan de waarheid, dat het geen normale ontmoeting is geweest door het mannetje Montez. Enfin, dat doet er nu niet meer toe." Ze keek tersluiks op haar horloge. Het liep tegen halfelf en dat was voor Romana onverbiddelijk koffietijd. Ze dacht dat Marek niets had kunnen zien van haar heimelijke blik op haar horloge, maar hij zei vrolijk: „Een blik op de klok op deze tijd van de dag betekent meestal: Waar blijft de koffie!"

„Eh, ja, dat is zo," gaf Romana vaag toe. Haar aandacht was op de weg achter haar gericht.
De Nederlandse wegen rijden vol met rode wagens. Waarom meende ze dan dat deze... ach, onzin! Ze zat opeens heel gespannen achter het stuur. Marek zag het. Wat zag hij eigenlijk niet. Hij zei heel kalm: „Niet harder gaan rijden, Romana... daarginds is een benzinestation, rij daar maar op."
Romana was gewend bevelen zonder „ja, maar..." uit te voeren en reed dus zonder meer het terrein van het benzinestation op. De rode bumperklever reed rechtdoor, hij kon nauwelijks anders.
Romana stond stil, haar handen om het stuur geklemd, en mompelde nijdig: „Ik zou best even willen gillen maar zoiets doet men niet... nou ja! Enfin, het zal wel weer toevallig zijn."
Hierop gaf Marek niet eens antwoord. Hij haalde alleen zijn schouders op, dus probeerde ze het nog een keer: „Denk je niet, dat..." begon ze, waarop Marek vermoeid repliceerde: „Ja, hoor... je had als struisvogel geboren moeten worden, die steken ook hun kop in het zand, het zij zo!"
De pompbediende kwam naar hen toe en Romana besloot nu maar meteen te tanken, waarna ze zwijgend doorreden. De koffie werd een kwartier later gedronken in een aardig klein wegrestaurant. De rode wagen was er niet en of ze er werkelijk niet meer aan dachten, viel natuurlijk te betwijfelen maar ze wilden er niet meer over praten. Nadat ze gezellig koffie hadden gedronken kwam Romana tot de ontdekking, dat zij wel had verteld over zichzelf, haar familie en haar werk, maar dat zij van Marek nog niet meer te weten was gekomen dan ze al wist en dat was erg weinig.
„Waarom ben je opeens zo stil?" vroeg Marek. Hij boog zich over de tafel en probeerde de ogen, die bewust langs hem heen keken te vangen. „Denk je nu, hij zegt ook niet veel?"
„Kan jij gedachten lezen?" Ze keek hem onverwachts doordringend aan. „Ik weet niet wat ik van je moet denken. Mijn mensenkennis zegt, dat het wel goed zit maar ik vind je toch tamelijk geheimzinnig."
„Dat valt wel mee," zei Marek geruststellend. „Er is weinig interessants te vertellen. Je kunt niet alles onmiddellijk weten van iemand die je pas hebt leren kennen. Wat werkelijk de moeite waard is hoor je vanzelf wel van elkaar als je elkaar beter leert kennen. Ik heb je verteld dat ik bij een bank in Den Haag werk

en toevallig weet, dat het met het heerschap, dat zich zo aan je opdringt kwaad kersen eten is en dat ik graag wil, dat hij jou met rust laat... zo eenvoudig is dat."
Romana haalde de schouders op en liet het er gemakshalve maar bij. De verdere reis verliep rustig en ook wel gezellig. Marek leverde haar vlak voor het huis af.
„Tot ziens, Romana." Marek aarzelde even, met haar hand in de zijne, maar liet het er bij, hij maakte geen nadere afspraak.
Romana voelde zich teleurgesteld en liep naar de deur. Ze keek niet meer om voor ze naarbinnen ging en pas nadat ze de deur, tamelijk stevig, in het slot had gegooid, waagde ze het door de zijruit naast de deur te kijken. Ze zag Marek met lange onverschillige passen de laan uit lopen en ze zuchtte teleurgesteld... ook dat was weer voorbij. Ze had gewoonweg niet de juiste instelling voor romances; ze kon niet eens boeiend, lief of intrigerend zijn. Marek had haar waarschijnlijk alleen maar wel knap, maar drammerig en vervelend gevonden. Het was jammer... ja, dat wel!
„Hé... waar blijf je nou?" Kyra opende de kamerdeur. „Wat sta je droomverloren door dat ruitje te turen. Ik wilde je net bescheiden vragen wie die sportieveling is, die jou thuis bracht. Het gaat me niet aan, maar ik vond 'm zo leuk, en, wie is het?"
„Nou... neen. Ik heb 'm als passagier in het vliegtuig gehad, hij logeerde in 'Union'. Ik kwam 'm tegen en hij moest vanmorgen terug naar Den Haag, maar zijn auto staat met pech in Boshegge; dus heb ik 'm een lift gegeven," vertelde Romana vlot en bedacht met schrik, hoe gemakkelijk een mens halve waarheden vertelt... geen leugens, neen, maar evenmin eenvoudig de waarheid. Dat kon ze natuurlijk ook niet doen omdat ze niet van plan was bezorgde Kyra op een verhaal over die halfgare Montez te vergasten.
„O, wat weinig interessant," mompelde Kyra. „Kom binnen, kind, en vertel me eens hoe was het met Dirk en Rita en de kinderen en heb je van het oude huis genoten?"
„Ja, dat heb ik en ik vind het een misdaad dat huis te verkopen. Dat klinkt hard maar zo voel ik het nu eenmaal."
Kyra zette met een klap de koffiepot neer en boog zich dan voorover om verschrikt te inspecteren of de bodem het had overleefd, waarna ze zich oprichtte en nijdig vroeg: „Ja, weet jij dan een oplossing? Kritiek is gemakkelijk genoeg. Denk je dat het mij geen pijn doet?"
„Jawel, maar het is beter een oplossing te zoeken. Ik heb er wel

een, maar mijn plan heeft alleen kans van slagen als de hele familie, de jongeren incluis, wordt wakkergeschud en iedereen zo enthousiast wordt, dat er echt wordt meegewerkt. Morgen moet ik weer weg, maar ik kan vandaag heel wat voorbereidend werk doen. Heb jij nog adressenlijsten voor me, van iedereen, van heel de familie, eventueel getrouwde kinderen, ook de anderen die uit huis zijn en op zichzelf wonen, mensen van vroeger uit de Boshuistijd, bijvoorbeeld Teun, maar daar correspondeer je nog mee, dat weet ik. Zij is misschien wel in het bezit van andere adressen. Enfin, je ziet wel, als ik het uitgewerkt heb. Ik kom er vanavond wel mee voor de dag, is dat goed? Uitleggen kost zo'n massa tijd en met die tijd moet ik woekeren. Als ik het schema klaar heb, leg ik het jou en Michael vanavond voor en kunnen jullie allebei je goed- of afkeuring er aan geven."
„Ik heb over een halfuur een vergadering, maar anders kwam je niet zo gemakkelijk van me af," zei Kyra. „Ik ben zo ontzettend nieuwsgierig maar ik weet dat je altijd goed weet wat je doet, dus neem ik aan, dat je geen onzinnige plannen hebt. Enfin, tot vanavond dan."
Ze deed een greep in haar bureau en legde meteen de leren map met de lijsten voor Romana neer, die grinnikte en zei: „Knap, hoor... een greep op de juiste plaats. Zoeken is er bij jou niet bij, goed zo. Nou, tot vanavond dan maar."
Romana installeerde zich op haar kamer achter haar bureau en had het urenlang zó druk, dat ze geen seconde meer aan Marek en Montez dacht. Ze begon met een serie enveloppen. Alle familieleden kwamen aan de beurt, niet alleen de ooms en tantes maar ook alle nichtjes en neven, en Teun, die destijds zo'n belangrijke rol had gespeeld in Het Boshuis.
Teun kreeg overigens ook een copie van de brief aan de familie met een begeleidend schrijven waarin Romana vertelde, wat de bedoeling was en vroeg of Teun nog adressen wist.
Vervolgens beplakte ze, na een strooptocht in het postzegellaatje met Kyra's grote voorraad al die enveloppen, waarna het voorbereidende werk was gedaan. Romana begon aan een brief, waarvan iedereen in de volgende dagen een fotokopie zou ontvangen, als Kyra en Michael er tenminste mee accoord gingen. De brief luidde:

Voor iedereen. die goede herinneringen heeft aan 'Het Boshuis' is deze brief bestemd. Het Boshuis is. ook voor mij. een van mijn liefste jeugdherinne-

ringen. Het was er mooi. het was er fijn en er hing zo'n warme, goede sfeer. De hele familie, die daar samenkwam... en zo ontstond er een bijzondere band, niet omdat we nu eenmaal toch familie van elkaar zijn, want in de meeste families vallen. jammer genoeg, in de loop der jaren gaten die niet meer te vullen zijn. Je hoort bijvoorbeeld jarenlang niets meer van die-of-die, maar je hebt zelf ook geen moeite gedaan om iets te weten te komen. Bij ons kan zoiets niet voorkomen. Dat dacht ik, want wij hebben toch dat heerlijke Boshuis, waar vroeger de gasten en de familie, tot groot plezier van iedereen met de postkoets van het station werden gehaald.
Deze week zag ik een heel speciaal foto-album, een levensgeschiedenis, jawel: De levensgeschiedenis van Kyra, in ieder geval de geschiedenis van vele jaren die zo belangrijk voor haar waren. Ze is begonnen met Het Boshuis het was haar, het was jullie geschiedenis, zusjes en broer van Kyra, en het ging later ook ons jongeren, de kinderen van de vijf Daelheyms aan. We brachten daar de fijnste dagen van onze jeugd door; nooit alleen, want meestal was er een hele club. We kregen de liefde voor Het Boshuis met de paplepel ingegoten. Ja... en toen... wanneer begon de worm te knagen aan de gave appel? De familiekring werd groter, het leven werd drukker, de carrières waren belangrijk, de huizen die gekocht en ingericht moesten worden, de nieuwe auto waarmee men naar het buitenland moest... zakenrelaties, sneeuwvakanties... vriendjes en vriendinnetjes die in het leven van de jongeren kwamen en ja, ook de tegenwoordig altijd weer voelbare vorm van blasé zijn van dat vakantieplezier in het grote stille huis daar buiten. De groeiende onverschilligheid en vervlakking deden de rest.
De eens zo waardevolle familiebijeenkomsten vervielen, want als Kyra afspraken probeerde te maken, dagenlang aan de telefoon zat, probeerde te schikken... waren er altijd mensen die dan beslist niet konden komen en nooit een datum konden verzetten, al het andere ging voor. Het werd voor Kyra, die geleerd heeft hoeveel een goede familieband waard is, een groot verdriet en een bittere teleurstelling. Ze hield het vol met Michaels hulp en heus, ook hij heeft eigenlijk geen minuut tijd over als druk bezet directeur en chirurg.
Ja, en nu is het dan zover. Gisteren zei Kyra: „Het gaat zo niet langer. Het Boshuis zal verkocht moeten worden. We teren te veel in en het loont de zorg, de moeite en de kosten niet meer voor de enkele verdwaalde die de weg naar het Boshuis nog terug heeft gevonden."
De kreet 'gemotiveerd' wordt wel erg vaak aangeheven, het is bijna een mode-uitdrukking geworden, maar toch... deze lange brief schrijf ik inderdaad gemotiveerd maar nog meer geïnspireerd. Ik ben enkele uren geleden teruggekomen van iets, dat je gerust een kleine bedevaart naar Het

Boshuis kunt noemen. Toen ik door de kamers liep, met Dirk praatte en zag, dat het nog is zoals vroeger omdat er met zoveel liefde voor wordt gezorgd, was dat 'vroeger' zo levend... Dat is het ook voor Dirk, die met ons in die sfeer is opgegroeid. Het is nog steeds 'Het Huis', de omgeving... alles wat je je in deze tijd overspoelend van stress kunt wensen om tot rust te komen, je te ontspannen, iedereen van tijd tot tijd weer eens te ontmoeten en bij te praten.
Ik weet ook wel, dat de tijd verandert, dat we leven bij de gratie van de computers, maar wij zijn, Godzij gedankt, nog geen computers en ik hoop, dat de vele oude waarden, want dat zijn ze, blijven bestaan. Ik vraag heus niet van jullie allemaal, dat je, druk bezet als je allemaal bent, ook ik overigens, iedere maand of twee maanden naar Het Boshuis komt, maar geloof me, met goede wil is het natuurlijk heel goed mogelijk minstens twee maal per jaar een echte reünie te houden; is dat zoveel gevraagd? Kun je, ziekten en verdere rampen voorbehouden, niet een paar daagjes reserveren? Ik zou bijna zeggen: „Kom nou toch." Ja... waren jullie maar werkelijk gekomen, maar het ging niet meer en vooral Kyra bleef met de stukken zitten. Als ze volgende week met haar broer en zusters het besluit moet nemen tot verkoop van Het Boshuis, waarschijnlijk aan 'Union', dat onderhand al een kleine dertig jaar aast op Het Boshuis, dan wordt er definitief een einde gemaakt aan het hoofdstuk 'Boshuis' en de familie valt verder uit elkaar. Over tien jaar kennen we elkaar niet meer , als we elkaar op een of andere bijeenkomst moeten ontmoeten. Ik weet ook wel, dat niets ooit voorgoed blijft, maar kostbare familiebanden kun je redden van de ondergang door materialisme, hardheid, onverschilligheid, welvaart. Bij ons had het in ieder geval anders kunnen zijn, we hadden de mogelijkheden maar hebben ze niet benut.
Ik weet niet, hoe jullie zult reageren, maar neem niet terwille van Kyra's verdriet, omdat jullie allemaal van Kyra houden, het besluit dan maar wat meer te komen, bijvoorbeeld. Die intentie haalt het niet, doe alleen wat je hart je ingeeft, wat je werkelijk voelt, want dat blijft. Een ding staat vast: De vijf Daelheyms kunnen de kosten van het enorme huis, een kasteel bijna, niet meer dragen. Het Boshuis begint een debâcle, een enorme verliespost te worden. Ik heb toen gepiekerd en, zonder ook maar verstand te hebben van de technische kant van de zaak, dacht ik: Als we met z'n allen ons Boshuis eens willen redden, er desnoods weer van maken wat het vroeger was? Wij noemden het 'hotel' maar het huis heeft zo'n aparte sfeer dat niemand, ook de gasten niet, het ooit een 'hotel' vonden, meer een huis, een heel prettig huis, om vakantie te vieren. Als wij, de familie, er twee keer per jaar samen logeren is het gewoonweg, net als vroeger, gesloten voor vreemden.

Het klinkt erg aardig, maar is het haalbaar? Ik weet het niet. Toen we allemaal graag kwamen, genoten we toch van het bezit van de vijf Daelheyms, die alle kosten droegen... die zij langzamerhand niet meer konden opbrengen. Het begint zulke grote financiële offers te vragen en eigenlijk voor niets. Misschien is een familie B.V. de uitkomst?
Kort en goed: Het Boshuis wordt verkocht en jullie zijn het er allemaal mee eens... voorbij is voorbij... of: We denken er toch anders over. Als we nagaan wat dat huis voor ons heeft betekend en weer kan gaan betekenen.
Als je vindt, dat dit huis moet worden behouden voor onze familie, voor ons allemaal, voor de vijf Daelheyms, hun kinderen en allen die bij die kinderen horen... wat dan? Denk er over, maar denk snel... schrijf naar Kyra of bel haar, want anders is het... voorgoed te laat.
Met heel veel goede wensen en groeten van Romana.

Romana leunde achteruit. Ze duwde de schrijfmachine van zich af en sloot haar ogen. Ze was moe. De hartekreet had ze, zonder een minuut te moeten nadenken, op papier gebracht en zo was het goed. Ze had op dat ogenblik zelfs niet het verlangen de brief na te lezen, zo leeggeschreven voelde ze zich.
Ze hoorde de voordeur dichtgaan en Kyra's lichte stappen op de trap. „Romana, ben je nog aan het werk? Ik ben er de hele middag mee bezig geweest, ik kon geen belangstelling voor andere zaken opbrengen." Ze legde haar hand op Romana's schouder. „Wat een papiervloed, en al die enveloppen... Je hebt wel doorgewerkt. Ben je klaar?"
„Ja hoor," lachte Romana flauwtjes tegen Kyra. „Als jij en Michael de lange brief vanavond willen lezen... als het goed is, dan vouw ik ze in en gaat de hele zaak vanavond de deur nog uit".
Kyra zou het liefst meteen de brief zijn gaan lezen, maar Michael werd, zonder onverwachte oproepen dan altijd, tegen halfzes thuis verwacht. Ze kon een vermoeide, hongerige man toch niet alleen op een brief trakteren, hoe belangrijk die ook mocht zijn, dus toog ze met gepaste tegenzin naar de keuken.
Michael van Donckeren kwam inderdaad tijdig thuis, wat heel vaak anders was. Kyra was er nooit werkelijk aan gewend, maar verdroeg het zo blijmoedig mogelijk als zowel haar plannen voor de avond als de warme maaltijd de mist ingingen. Ze had telkens het gevoel, dat ze de wedstrijd weer eens had gewonnen als Michael op de afgesproken tijd binnenkwam.
Aan tafel vertelde Romana wat nu eigenlijk de bedoeling was van haar dag keihard werken. Ze had de brief ook al in een ruim aan-

tal gekopieerd op de tamelijk antieke kopieermachine uit Michaels studietijd. „Lezen jullie nou maar. Ik ruim wel af en ik zorg voor de afwas..."
Dicht naast elkaar op de bank lazen Michael en Kyra de brief. Romana maakte dat ze wegkwam, ze vond het op de een of andere manier vervelend hun reactie op haar brief meteen te zien. Misschien wilden ze dit helemaal niet en kozen ze kortweg voor verkoop van het Boshuis. Het duurt daarbinnen nogal lang, dacht ze zorgelijk. Ze hoorde niets, dus begon ze koffie te zetten... Nog steeds niets. Zuchtend schonk ze de koffie in en liep met het blad naar binnen. Ze had nog maar nauwelijks tijd om het blad op tafel te zetten, want Kyra sloeg haar armen om haar nichtje heen en kuste haar stevig op allebei haar wangen.
„Kind, ik vind het geweldig. Zo is het, zo voel ik het, maar ik kon het nooit iemand zeggen, zelfs aan Michael niet."
„Ja," zei Michael en keek nadenkend naar het gezichtje van Romana. Vanaf haar prille babytijd hadden ze Romana al en het was alleen terwille van Merel en Alexander, dat Kyra en hij zich moesten blijven herinneren dat ze niet hun bloedeigen kind was. Ze was evenzeer 'ons meisje' als de twee eigen dochters.
„Roma, die brieven moeten zo gauw mogelijk weg," zei Michael toen ze hem vragend aankeek. „Ik vind het zo geweldig goed, dat iedereen precies voorgeschoteld krijgt hoe de situatie is. Ik ben benieuwd wat er uit de bus komt. Het kan natuurlijk een teleurstelling worden maar, nu ja, we moeten even afwachten. Kom, dan helpen we je de brieven te vouwen en in te sluiten. Ik ga met de hond lopen en doe de stapel meteen voor je in de bus."
„Je bent een liefje," zei zijn pleegdochter warm en Kyra, die haar man als ze hem wel eens in volle glorie door het ziekenhuis zag marcheren tamelijk indrukwekkend vond, lachte opeens hartelijk, zodat haar man en Roma haar verbaasd aan keken.
„Uitbarstende binnenpretjes," zei ze braaf. Michael was een beminnelijk mens, ook in zijn dagelijkse omgeving, maar ze kon zich niet voorstellen dat iemand hem daar ooit 'liefje' zou durven noemen, met een aai over zijn bol. Ze legde het toch maar uit en Michael grinnikte.
„Kindlief, zulke lieve huisgebruiken gebeuren meestal niet bij iemand op zijn werk, nietwaar? Werken jullie eens een beetje door in plaats van te gaan zitten giechelen."
Tien minuten later liep Michael met een stapel post in zijn hand en de hond naast zich het tuinpad af. De hond, een gevaarlijk uit-

ziende bouvier was voor de huisgenoten een lam, maar hij kon bar ongemakkelijk worden als hij dacht dat iemand de baas te dicht benaderde. Een indringer zou het moeilijk hebben bij Tiger, die van zijn waaksheid eens een demonstratie had gegeven die er mocht zijn toen een man met kwade bedoelingen bij nacht en ontij probeerde de tuin te betreden. Toen had Tiger zijn naam eer aangedaan. De veste werd fier verdedigd, wat de huisgenoten een veilig gevoel gaf, hoewel het ook een moeilijke opgave was inbrekers te bevrijden uit de kaken van een woedende Tiger. Michael had in die nacht de wonden van de inbreker verbonden, terwijl ergens het woedende gegrom van Tiger nog was te horen en de inbreker, doodsbang, alleen maar graag weg wilde uit een huis met zo'n monster.
Na een stevige wandeling met de hond kwam Michael thuis met de boodschap, dat hij de brieven in handen van de postbode had bezorgd, omdat de man juist de bus kwam legen.
„Tiger gromde tegen de man maar gedroeg zich verder keurig. Hij denkt waarschijnlijk: Wat moeten al die vreemde kerels op mijn pad."
„Hoezo... al die kerels?" vroeg Kyra afwezig. Ze was verdiept in een modeblad en Romana keek met haar mee.
„Er stond een of andere vent bij het tuinhek naar het naambord te turen. 'Zoekt u iemand?' vroeg ik vriendelijk, maar Tiger gromde zo vervaarlijk, dat hij haastig doorliep. Het leek me een buitenlander; hoe dan ook, ik kon 'm niet helpen, want Tiger gromde als een rommelende vulkaan. Soms is dat toch wel hinderlijk."
Romana bleef zó glazig naar haar oom staren, dat hij vroeg: „Wat is er?"
„Helemaal niets, hoor." Ze boog zich snel weer naar het modeblad in Kyra's handen, Michael haalde zijn schouders op, zocht zijn gemakkelijke stoel op en ritselde met de krant, die hij daarna blad voor blad, na lezing, op de grond liet dwarrelen, zodat hij tenslotte in een krans van bladen zat. Deze slordige manier van kranten lezen ergerde de nette Kyra nog steeds, maar ze had afgeleerd er drukte over te maken. Als Michael zich zo het prettigst voelde in zijn weinige vrije tijd, dan moest het maar. Een van de weinige ruzies had in het begin van hun huwelijk heftig om de strooikrant gedraaid, wat ze achteraf bezien beiden ontstellend dwaas hadden gevonden. Michael las dus al jarenlang in rust op deze slordige en royale manier zijn twee kranten, een formida-

bele berg papier die later zwijgend werd opgeruimd door wie toevallig langskwam. Romana had eens verontwaardigd tegen haar tante gezegd: „Ik vraag me af, of Michael zo verwend is door het ziekenhuis, waar anderen alles achter hem opruimen".
„Ja, datzelfde heb ik me ook eens afgevraagd," had Kyra rustig geantwoord. „En dat heb ik hem dan ook toegeschreeuwd, destijds en ook nog, dat ik zijn slavin niet was en verder zo alles wat me te binnen viel en dat was niet veel moois. Hij had me nooit voor een slavin versleten, zei hij hooghartig, maar hij vond me een kat, een aanstelster, een gekke troel, een schreeuwlelijk en nog zo 't een en ander. Aangezien Michael verder een lieverd is, weliswaar zoals ieder mens voorzien van enkele fouten, en ik het bij nader inzien dwaas vond op die manier op mijn strepen te staan, liggen tot op de dag van heden vele, vele bladen rond hem gedrapeerd, snap je. Het kan me echt niet meer schelen, hij doet maar. Het ergert hem, dat ik door het hele huis en op de gekste plaatsen sieraden laat slingeren en dan vergeet waar ik ze gelaten heb, maar hij zegt daar op zijn beurt niets meer van, en zo moet het ook."
Het was ook deze avond rustig en gezellig in de kamer. Romana keek eens naar Tiger, die zich breeduit op de kranten had geïnstalleerd en zich zielsgelukkig voelde.
Braaf beest, dacht Romana en toen wraakgierig: En als het die halfgare Montez was, dan had je hem eens flink in zijn been moeten bijten. Zie je wel, ik ben ook al geïnfecteerd door Mareks gedram over die Montez, en nou wil ik er werkelijk geen ogenblik meer aan denken.

De volgende morgen toen Romana zich meldde, kreeg ze zonder meer opdracht naar Rome te vliegen in plaats van naar Helsinki. Zoiets had ze niet verwacht, omdat deze handelswijze zeker niet de gewoonte was. Mopperen hielp niet en dienst is dienst. Romana had geen speciale voorkeur maar omdat ze het niet begreep, zat het haar niet lekker.
„Hé... wat doe jij hier?" riep Kathy Bornheim, de onverwachte collega, verbaasd uit. „Dat kan toch niet? Ik had Linny Goeimans. Waar is ze? Ziek misschien?"
„Ik weet het niet. Het kan zijn, maar ik begrijp er ook niets van," zei Romana nogal zuur. „Enfin, ik heb geen tijd me er verder druk over te maken, dat komt dan later wel."
De dienst was als gewoonlijk: aardige mensen, nerveuze mensen,

lastige mensen en druk heen en weer rennen, hulp verlenen en vriendelijk vragen beantwoorden... allemaal routinebezigheden, maar het bleef Romana hinderen, niet hevig maar meer zachtjes knagend.
Ze kwam dan ook de volgende dag niet in haar allerzonnigste humeur terug, hoorde met een uitgestreken gezicht, dat de volgende vlucht naar Rome waarschijnlijk zou worden veranderd in een vlucht naar Wenen.
„Maar hoe kan dat nou?" Ze werd vuurrood van boosheid en de donkere ogen werden zwart. „Ik voel me een pionnetje dat rondgeschoven wordt op een schaakbord. Ik heb nog nooit meegemaakt, dat... nou ja, mag ik de reden vragen?"
„Jawel, maar daar kan ik nu geen antwoord op geven," zei de vluchtleider nadrukkelijk geduldig. „Geen commentaar, juffrouw Paluda, noch van mijn kant en hopelijk ook niet van uw kant. Is er nog iets?"
„Neen, u wordt bedankt." Ze graaide haar tas naar zich toe, gooide met een nijdig gebaar de riem over haar schouder en liep weg met haar neus in de wind, bevend van woede. De vluchtleider keek haar na. Hij kon zich zo goed voorstellen, dat Romana niet wist wat ze van dit volstrekt ongebruikelijke gedoe moest denken maar hij kon het haar niet zeggen, omdat het hem verboden was van hogerhand. Romana's opmerking over het pionnetje dat over het schaakbord wordt geschoven was treffend en gaf de situatie beter weer, dan ze kon vermoeden. Romana liep, nog steeds heel erg kwaad en bijna in tranen naar haar wagentje. Ze stond aan het slot te morrelen, toen ze haar naam hoorde noemen. Ze keek schichtig om en zag Marek tegen zijn wagen geleund staan.
„Hallo, Romana!" zei hij vriendelijk.
„Wat doe jij nou in vredesnaam weer hier?" vroeg Romana ongeduldig. „Woon jij op Schiphol? Heb je soms in het Motel je tenten opgeslagen? Ik begrijp het niet. Ik begrijp niet, wat iedereen mankeert. Zit jij er soms achter?"
Ze was furieus en trilde van opwinding. „Luister, Marek, ik heb met al die onwijze toestanden niets te maken, ik wil m'n eigen weg gaan, ongehinderd. Ik vind je best aardig, maar ik wil niet voortdurend over je struikelen en als ik door de vluchtleiding, in plaats van op allang geplande vluchten voortdurend word verplaatst, zonder opgave van geldige redenen dan word ik daar woest over en onrustig. Ik ben natuurlijk niet zo suf, dat ik niet begrijp... eh... dat er iemand, wie dan ook, op de achtergrond

aan het stoken is, maar ik zou wel graag willen dat men dat met open vizier doet, zodat ik me kan verdedigen. Nu denk ik dat ik ergens schuld aan heb, dat men daarom zo tegen mij doet, kortaf, onvriendelijk. Geen commentaar, juffrouw Paluda... Maar ik verzeker je, als dit niet heel gauw uitgelegd wordt, dan gaat juffrouw Paluda, hoe jammer zij dit ook vindt. Zo laat ik me door niemand behandelen! Ga alsjeblieft uit de weg, ik wil naar huis."
„Luister nou eens even, opgewonden standje." Mareks stem klonk smekend en hij greep de hand die hem weg wilde duwen. „Als je het dan absoluut weten wilt, ja, ik zit er achter maar hoe, dat mag en kan ik je niet zeggen, geloof me alsjeblieft. Je weet niet, kunt niet weten, hoe erg ik momenteel tussen twee vuren zit, omdat ik in jou geïnteresseerd ben en dat eigenlijk niet zo best is, omdat niets zo verkeerd is als werk en de zaken van je persoonlijke leven met elkaar verwarren. Ik heb het dan ook niet gezocht en nou zit ik er net zo hard mee als jij... Geloof je me?"
„Ben jij het dan, die ervoor heeft gezorgd dat ik geen enkele normaal geplande dienst meer mag doen?" Ze was niet meer zo agressief maar dat was dan ook alles wat ervan kon worden gezegd.
Het bleef stil. Ze keek Marek aan en zag, dat hij het ergens heel moeilijk mee had maar ze gaf geen krimp.
„Nu... en?" vroeg ze kortaf. „Geef antwoord alsjeblieft, Marek."
„Ik heb de macht niet om zulke... eh... bevelen te geven, om de mensen hun interne regels omver te laten gooien. Maar, ja, ik heb wel advies gegeven, verder kan ik je heus niets zeggen." Hij deed een stap terug omdat ze in haar wagentje wilde stappen.
„Dan word je wel bedankt, hoor," zei ze bitter. „Wie je dan ook zijn mag, ik denk dat je vanaf het begin spoken hebt gezien bij klaarlichte dag... en nog steeds zie je die, nietwaar?"
„Ik hoop, dat het zo is." Marek hield haar nog even tegen, met zijn hand op haar schouder en zijn ogen hielden de hare vast. „Hoe kwaad je ook op me mag zijn, ik zal dit, op jou passen, blijven doen, tot ik ervan overtuigd ben, dat ik inderdaad achter spoken heb aangejaagd en ik hoop, dat die dag heel gauw komt. Ik zou geen raad meer weten als jou iets zou overkomen. Dat wilde ik alleen nog maar zeggen."
„Goed... ik aanvaard dat het voor jou ook moeilijk is," zei Romana zacht. „Ik had ook niet zo moeten uitvallen, maar ik kan niet tegen dat geheimzinnig doen. Ik kan heus heel veel hebben, ik kan er best tegen een zeker risico te lopen maar dan wil ik wel,

dat er open kaart wordt gespeeld, zie je. Wie ben jij... wie is die Montez... wat voor rol speel ik eigenlijk? Je kunt of wilt op geen van deze drie vragen een duidelijk antwoord geven, maar als het om mijn leven gaat, dan zou ik denken, dat ik toch wel moet weten waarom ik bedreigd word."
„Neen," zei Marek kortaf. „Denk dan maar dat het allemaal onzin is, dat ik achter spoken aanjaag. Dag Romana, en verwonder je niet meer als je mij af en toe, ongewenst door jou, ziet opduiken."
„Hè toe, Marek, doe niet zo gepikeerd." Ze liep hem na toen hij naar zijn eigen wagen liep en legde haar hand op zijn arm. „Ik weet, dat je het goed bedoelt en we waren toch al vrienden. Dat wil ik liever niet bederven. Doe maar wat je meent te moeten doen, ik zal alleen maar blij verrast kijken als ik je zie opduiken als ik dat niet verwacht, goed?"
„Prima." Zijn ogen werden heel vriendelijk en hij kuste haar op haar wang, een aardig en geruststellend gebaar en zo vatte ze het ook op.
Toen ze terugliep naar haar wagentje dacht ze inconsequent dat het niet eens onaardig was, zo'n cavalier op de achtergrond, die zo bezorgd voor je was. Marek reed achter haar aan en langzamerhand begon ze de situatie als interessant en avontuurlijk te beleven, maar meer omdat ze Marek zo sympathiek vond dan omdat ze overtuigd was, dat al die poespas echt nodig was.

Kyra, die een rozenstruik stond te bekijken, keek verbaasd op, toen ze Romana, die vrolijk tegen haar wuifde naar de blauwe wagen zag lopen, die pal achter haar stopte. Marek stapte uit en Romana stelde hem aan Kyra voor, waarop Kyra, gastvrij als altijd, vroeg of hij ook iets voelde voor een kop koffie. Marek keek even naar Romana omdat hij er niet zo zeker van was of ze dat wel prettig vond, maar Romana zei enthousiast: „Hè ja, dat is gezellig. Ga mee, Marek."
Hé... Romana brengt zowaar voor het eerst een vriend mee naar huis... dan is het ernst! dacht Kyra. Aldus het gebeuren totaal verkeerd waarderend.
Romana en Marek keken elkaar veelbetekenend aan en glimlachten geamuseerd. Ze dachten duidelijk hetzelfde omdat Kyra zo duidelijk 'gewoon' deed, maar natuurlijk verschrikkelijk nieuwsgierig was.
Marek vond het inderdaad gezellig en Romana liet het veilig-

heidshalve maar aan hem over een mooi verhaal op te hangen, zodat ze elkaar dan tenminste niet tegen konden spreken.
Op Kyra's voorzichtige vraag waar ze elkaar hadden leren kennen vertelde hij, waarheidsgetrouw, dat hij Romana in het vliegtuig voor het eerst had gezien. Verder kwam hij weer heel vlot met zijn verhaal over zijn baan bij een bank, waar Romana niets van geloofde. Hij praatte geanimeerd en vertelde in feite niets. Hij bleef niet te lang en Romana liep met hem mee tot aan het hek.
„Ik vind je tante erg aardig," zei Marek waarderend. „En het is wel gemakkelijk, dat ze denkt... nu ja, dan kan ik je gemakkelijk ophalen."
„Ja, ik zal haar niet vertellen, dat je alleen maar een soort bewakingsdienst bent." Het klonk tamelijk vinnig.
„Ben ik dat?" vroeg Marek en glimlachte nietszeggend. „Het is beter niet over de achtergrond te praten. Tot ziens, Romana."
Ze wuifde hem na en dacht een tikje triest: Daar gaat hij weer... tot wanneer? Ik zou niet eens weten, waar ik 'm terug kon vinden als hij plotseling verdween. Die Bank, nou ja, ik weet bijna zeker dat als ik de Bank belde en naar hem vroeg, niemand ooit van een werknemer zal hebben gehoord die Marek van de Mortel heet. Ik zal dan ook niet bellen, want nu weet ik het niet zeker en kan ik nog de illussie koesteren, dat hij niet gelogen heeft... over struisvogels gesproken, die steken ook hun kop in het zand net als jij, Romana.
Kyra zei, toen Romana weer binnenkwam: „Je hebt lang gewacht voor je met een vriend kwam opdraven, maar het is wel de moeite waard. Ik vind 'm sympathiek en hij ziet er nog leuk uit ook. Wel sportief gekleed maar op een dure nonchalante manier. Je ziet, ik heb 'm goed bekeken."
„Ik ken 'm pas, van een romance is voorlopig geen sprake." Romana's stem klonk zo afwerend, dat Kyra haar verbaasd aankeek.
„Dat is ook jouw zaak, ik zei toch niet anders dan: Ik vind 'm sympathiek, of zou je het leuker hebben gevonden als ik een andere mening over Marek had?" Kyra haalde de schouders op. „Een ander onderwerp van gesprek: Er liggen zeker dertig brieven op je te wachten van de familie, en ik heb vandaag bijna niet anders gedaan dan telefoon beantwoorden van enthousiaste familieleden, dus werden het telkens lange gesprekken. Ik geloof, dat je een enorme overwinning hebt behaald... als de brieven tenminste ook zo enthousiast zijn."

Alle brieven, zonder uitzondering, waren positief. Niemand wilde de verkoop van Het Boshuis en de hele familie was werkelijk met een grote schrik wakker geschud door Romana's brief.
„Zeg maar wanneer de familie bij elkaar kan komen bij Kyra om alles te bespreken." Ja, nu konden ze opeens allemaal wél komen. Binnen twee dagen had iedereen die aangeschreven was gereageerd, hetzij per brief hetzij per telefoon.
„Ja, zeg maar wanneer... dat vind ik prachtig," zei Kyra wanhopig. „Maar wat moet ik hier in huis met ongeveer vijftig mensen? Het is genoeg voor een feest en hopelijk wordt het dat ook, maar zo'n feest zou ik in een zaal geven, niet thuis. Ik moet er niet aan denken... gastvrijheid is een devies van me, maar vijftig tegelijk? Koffiedrinken, en dan eten en een hoop die over willen blijven. Dat loopt me wel over de kop en ik heb het al druk genoeg. Wat doen we ermee, Romana... Michael... een suggestie van jullie kant alsjeblieft."
„Wat is eenvoudiger dan het hele gezelschap naar Het Boshuis te dirigeren, waar ze tenslotte voor komen, vanzelfsprekend toch!" Michael keek alsof hij een bijna onoplosbaar raadsel toch had opgelost.
„Ja, dat klopt wel, maar wie zorgt er voor al die mensen? Ik niet, althans niet alleen. Ik peins er niet over. Ik kan natuurlijk vragen of iedereen mee wil helpen, maar dan wordt het een ongeorganiseerde bende en dat is nog erger."
„Kunnen we niet aan Tona, onze Teun, vragen of ze ons wil helpen en het oppertoezicht houden? Ze is nog steeds een vriendelijke generaal." Ze hadden nog contact met Tona, die alleen woonde in een prachtige flat en het werken als super-kok allang had opgegeven... Ze was niet meer een van de jongsten en voor het geld hoefde ze het ook niet te doen, maar af en toe iets groots organiseren of bij vrienden voor een diner zorgen, deed ze wel. Het was haar grootste hobby en ze voegde er dan altijd aan toe: „... want ik wil m'n vak niet verleren, zie je."
„Teun kan ook beslist wel voor een staf personeel zorgen. Zij weet, waar ze de goede mensen vandaan moet halen."
„Waarom nodigen we eigenlijk de hele groep van het eerste uur niet uit?" vroeg Kyra met de verwachtingsvolle glimlach van een brave kerstengel. Michael en Romana keken haar verbluft aan, begonnen daarna te brullen van het lachen.
„Je bent op hol geslagen, schat," prevelde Michael medelijdend toen hij weer kon praten. „Ik dacht dat het een familieaangele-

genheid zou worden en je zag er tegen op, en nou wil je opeens al die mensen opscharrelen, waarvan je voor een groot deel geen adressen meer kent. Kom nou toch!"
„Nou ja," aarzelde Romana, toen ze uitgelachen was, „we hebben er nu wel onbedaarlijke pret om gehad, maar zo gek is het bij nader inzien toch niet. Die mensen hoorden er toen bij, hebben alle grote gebeurtenissen in jullie leven meegemaakt. Het is erg, dat zulke banden later helemaal verloren gaan, oplossen in het niets. Wie weet, hoe kostbaar het project wordt. Misschien zijn er meer gegadigden voor aandelen in Het Boshuis. Geen vreemden, maar die mensen van het eerste uur. En wat de drukte betreft, begrijp ik het ook wel. Kyra denkt natuurlijk: Nu ik hulp krijg, dat nemen we tenminste aan, kan het me niet schelen al wordt het gezelschap dubbel zo groot, ja, Kyra?"
„Het lijkt me enig," gaf Kyra toe. „Ik zie het opeens helemaal zitten... de oude adressen van al die mensen, zeker nog van zo'n tien jaar na Het Boshuis heb ik nog, dus zal het niet zo moeilijk zijn er achter te komen waar ze nu zijn, allemaal of een groot deel van die groep."
„Ik hoop echt, dat je vindt wat je zoekt en dat het niet een uit de hand gelopen toestand wordt," bromde Michael, altijd erg voorzichtig en een tikje pessimistisch. „Jij bent altijd zo enthousiast, wat ik heel prettig vind, daar niet van, maar dan zie je opeens geen moeilijkheden meer. Enfin, ik wil je plezier niet bederven, meisje. Je doet maar, voor zover nodig kun je op mijn hulp rekenen."
In de week die volgde wierp Kyra zich in de strijd en het was zoals vroeger, toen ze pas in Het Boshuis woonden. Tona, in de wandeling Teun genoemd, nam een groot deel van de zorg van Kyra's schouders. Teun was dol op organiseren en ze kon dat te weinig doen. Ze begon aan haar voorbereidende taak en was zo onvermoeibaar alsof ze dertig jaar was in plaats van ongeveer vijfenzestig. Zonder Teun zou Kyra het niet gered hebben. Kyra's grootste taak was het opzoeken van de oude vrienden en ze telefoneerde, schreef briefjes, maakte het de Burgelijke Stand overal lastig en reed in haar kleine boodschappenkarretje, zoals ze de kleine blauwe Mini noemde, alle adressen af, die ze te pakken kreeg na veel speurwerk.
Romana hoorde al die verhalen later. Zij had het voorbereidend werk wel gedaan, maar kon zich er verder bij gebrek aan tijd niet mee bemoeien. Ze had twee langere vluchten gemaakt, maar

Marek had ze de eerste keer bij haar terugkomst niet gezien en dat stelde haar teleur. Een steward vroeg of hij met haar mee mocht rijden, hij woonde dicht bij haar in de buurt. Ze vroeg zich maar niet meer af, of het tot het geheime plan hoorde haar letterlijk bij al haar schreden van en naar huis te begeleiden of dat het gevaar over was en Marek zich daarom niet meer liet zien. Ze bleef dat gevaar trouwens zo weinig reëel vinden, omdat er geen ongewone dingen meer gebeurden. Dat Marek niets meer liet horen vond ze wel erg. Kyra had notabene gezegd: „Waarom nodig je Marek ook niet uit, dat is gezellig voor je." Ze had niet willen bekennen, dat Marek zich helemaal niets meer aan haar gelegen liet liggen en vaag iets gemompeld had dat leek op „... zal wel zien!"

Intussen werd onder de leiding van Tona en Kyra de aanstaande reünie een soort alsmaar groter wordende rollende sneeuwbal van enthousiasme, blijdschap en verwachting. Iedereen begon mee te werken. De telefoon stond niet stil en Kyra verzuchtte op een avond, na een bijzonder drukke dag: „Het lijkt wel alsof ik een wereldtentoonstelling of minstens een Elfstedentocht aan het organiseren ben. Ik heb ooit gezegd, en Romana zei het in haar brief, dat de mensen tegenwoordig niet meer enthousiast te krijgen zijn. Dat is niet waar. Een flinke duw en de zaak begint te lopen en is niet meer te stuiten."

De verkoop van Het Boshuis leek niet waarschijnlijk meer, ook al was er nog niets besproken, maar met zoveel instemming en enthousiasme moest het huis te redden zijn. Hotel 'Union' dat al zoveel jaren het begerig oog op Het Boshuis gericht hield, kon de hoop het huis in bezit te krijgen wel begraven.

Kyra constateerde dit met genoegen en de adhesiebetuigingen bleven binnenstromen.

HOOFDSTUK 5

Het vliegtuig uit Australië kwam zo rond halfnegen in de morgen binnen. Romana was vrij lang weggeweest, omdat zij op de heenreis had meegevlogen tot Bangkok, waar de slipbemanning aan boord was gekomen. Romana had de dagen in Bangkok, tot de terugkeer van het vliegtuig, waarop zij dan de dienst tot Schiphol weer over moest nemen, rustig doorgebracht. Ze had de indruk dat ze niet echt vrij was, omdat haar collega, waar ze ook heen

ging, mee wandelde. Het betekende waarschijnlijk niets maar ze voelde zich langzamerhand alsof ze omgeven was door wachters. Bovendien was de andere stewardess een nieuwe. Ze kende haar niet, waardoor ze het ook niet zo prettig vond voortdurend met Janine te moeten optrekken, die nergens de weg wist.
Romana voelde zich na een week, alsof ze maandenlang weg was van huis... hoe zou het zijn met de voorbereidingen voor de reünie? Waarom had Marek niets meer laten horen? Vooral dat laatste zat haar heel erg dwars. Het zogenaamde gevaar zou dan wel voorbij zijn, want Marek liet zich opeens niet meer horen of zien, dus was zijn belangstelling alleen maar zakelijk geweest. Ze had vanaf het begin helemaal niets van hem begrepen. Hij was vriendelijk, charmant, geheimzinnig, iemand die niets, maar dan ook totaal niets over zichzelf losliet en waarvan je dus ook niets te verwachten had. Dat zei haar verstand, maar het was voor de eerste keer in haar leven, dat ze veel meer voelde voor een man dan sympathie en een aarzelend gevoel van verliefdheid, dat nooit uitgroeide tot liefde. Het bleef heel die lange week een triest verlangen naar Marek, terwijl ze toch wist dat ze min of meer naar de maan verlangde.
Toch was ze blij toen de machine op Schiphol landde. Hier had ze tenminste het gevoel, dat ze Marek kon tegenkomen. Zelfs dat zal wel niet kloppen, hield ze zich cynisch voor, want ze had hem de eerste keer in het vliegtuig ontmoet en wie kon haar vertellen, dat hij niet altijd op reis was naar een of ander onbekend doel?
Het was bijna kwart over negen toen ze naar de parkeerplaats liep en juist op het ogenblik, dat ze geïrriteerd aan het slot van haar wagentje stond te morrelen omdat het niet zo gauw lukte het portier te openen, hoorde ze achter zich een stem: „Het lukt niet erg, hè?"
Romana maakte een luchtsprong van schrik en de autosleutels vielen rinkelend op de grond.
„Grote genade, wat laat jij me schrikken!" stotterde ze en keek Marek met grote verschrikte ogen aan. „Waar kom jij opeens vandaan?"
„Ik zat in mijn wagen op je te wachten maar je keek niet links of rechts, zodoende. Dag Romana, daar ben je dan eindelijk." Hij legde zijn handen op haar schouders en Romana trok zich onwillekeurig iets terug. Ze hield nu eenmaal niet zo van dat in het wilde weg iedereen kussen bij een begroeting, of je de mensen nu goed kende of niet, deed er niet meer toe. „De doorsnee men-

sen hebben dit beslist van al die links en rechts kussende artiesten afgekeken," had ze eens sarcastisch beweerd op een fuifje van Kyra en Michael, waar iedereen maar raak kuste in plaats van een hand te geven. Meestal wordt dan nog alleen het kusgebaar gemaakt en zweeft die kus ergens in de lucht; volgens Romana een leeg, nietszeggend modegebaar waaraan ze nooit meedeed. „Als ik zoen meen ik het en anders doe ik het niet," had ze tamelijk pinnig de dienst uitgemaakt en daarom week ze ook nu terug maar Marek deed geen moeite haar te kussen; hij schudde haar alleen hartelijk even bij de schouders.
„Laat je wagen maar staan, zeg. Stap in de mijne," zei Marek en Romana vond het wel een leuk plannetje, maar ze deelde hem mee dat ze een collega had beloofd, even naar de Bijenkorf te gaan om een pakje op te halen.
„Dat is geen bezwaar, ik wacht wel in het restaurant, dan kunnen we samen nog koffie drinken en daarna breng ik je thuis, goed?" Hij duwde haar al in de richting van zijn wagen.
„Hoe komt jouw wagen eigenlijk op dit parkeerterrein?" vroeg Romana. „Dit terrein is voor het personeel en niet voor... eh... vreemden."
„Ach, ik heb zo mijn connecties. Stap nou maar in." Een nieuwsgieriger meisje zou verder gevraagd hebben, maar zo was Romana nu eenmaal niet, al betekende haar zwijgzaamheid niet, dat ze het probleem ook uit haar geest kon wegvagen.
„Goede reis gehad?" vroeg Marek en knikte haar hartelijk toe.
„Ja, en geen bekenden gezien, als je dat soms bedoelt," antwoordde ze.
Hij gaf er geen antwoord op, ging zelden op hatelijke opmerkingen in. „Ik wilde je weer ontmoeten," zei Marek rustig. „Ik vond anderhalve week erg lang."
„Je vergist je, want de week daarvoor ben je weggebleven." Ze wist op hetzelfde ogenblik, dat ze zich mooi in de kaart had laten kijken en Marek reageerde erop door op te merken: „Dat heb je dan goed bijgehouden. Je hebt gelijk maar ik moest op reis."
„Ach neen?" Het klonk zo insinuerend, dat ze er zelf van schrok. „Nou ja... ik bedoel... jij bent altijd op reis en je doet er zo geheimzinnig over. Wie ben je... waar woon je? Als je opeens in het niets verdween zou ik niet eens weten in welke richting ik zou moeten zoeken... als ik tenminste wilde zoeken. Ik heb een uitnodiging voor je, als je althans te vinden bent. Kyra zei, dat ik je uit mocht nodigen op de grote reünie, als je zin hebt tenminste."

„Ik zal graag van de uitnodiging gebruik maken en doe nou niet zo nukkig, Romana, dat is zonde van de tijd." Zijn stem klonk kortaf. Hij reed de parkeergarage van de Bijenkorf binnen, waar op dit uur van de dag voldoende plaats was. „De winkelende vrouwen beginnen langzamerhand op te trekken," stelde Marek vast. Hij installeerde zich in de lunchroom en Romana ging haar boodschap doen. Ze stond te wachten tot het truitje afgerekend was en liep toen naar de bloesjes. Dat kon ze nooit nalaten omdat ze er een zwak voor had. Die dingen kocht ze, volgens haar familie, bij tientallen.
Ze wist niet waarom ze opeens zo'n onaangenaam gevoel kreeg, alsof iemand, die haar niet goed gezind was, strak naar haar keek. Verschrikt keek ze op en zag Montez op zich afkomen. Romana gooide het bloesje neer, dat ze in de handen hield en, verbaasd nagekeken door een nog wat slome verkoopster, die kennelijk nog geen koffie had gedronken, schoot ze dwars tussen alle bloesjes, rokken en jassen weg.
Gelukkig wist ze de weg goed en ze nam aan, dat Montez dat niet wist, dus bereikte ze in recordtempo het restaurant, het risico nemend dat het personeel zou denken, dat ze op de vlucht was, maar haar keurige uniform redde haar van vervelende bemoeizucht. Een rennende stewardess is tamelijk verontrustend maar niet misdadig, dacht men blijkbaar en staarde haar na. Marek stond op, toen hij haar binnen zag komen.
„Wat is er gebeurd?" vroeg hij. Ze viel op een stoel tegenover hem neer en kon alleen nog maar zeggen: „Kilroy was here!"
Ze begon nerveus te giechelen, toen ze het totale onbegrip in zijn ogen en op heel zijn verbaasde gezicht zag groeien.
„Montez," lichtte ze kortaf toe. „Ik stond even een bloesje te bekijken en voelde, nou ja, onraad. Hij stevende recht op me af en toen ben ik op de vlucht geslagen. Ik had beter kunnen vragen wat die vent nou eigenlijk van me wil. Ik schaam me verschrikkelijk, omdat ik zo paniekerig heb gereageerd... vroeg in de morgen... rennend, of tenminste bijna rennend door de Bijenkorf. Wil je alstjeblieft koffie voor me bestellen, daar ben ik echt wel aan toe."
„Ik denk, dat je het enige juiste hebt gedaan," zei Marek geruststellend. „Je reageert gelukkig heel snel, wat je beroep wel zal meebrengen, neem ik aan."
„Ja, maar het begint me langzamerhand wel hevig te irriteren." Ze wachtte tot de koffie was gebracht, begon daar toen wild in te

roeren ofschoon ze geen suiker nam en vergat toen de koffie op te drinken. „Is het niet beter als ik eens met onze veiligheidsdienst of... eh... met de politie ga praten?"
„Dat zou ik maar niet doen, meisje." Hij legde zijn hand op de nerveus bewegende vingers die met het koffielepeltje speelden. „De politie zou zeggen, dat je het je verbeeldt en dat er toch niets is gebeurd. Jullie veiligheidsdienst weet het al, geloof me nou en heb een beetje meer vertrouwen in mij. Ik ben werkelijk niet het hoofd van een of andere misdadige club maar ik kan niet alles wat ik doe aan de grote klok gaan hangen. Buiten mijn... laten we het mijn 'officiële zorg' noemen, heb ik nog maar één heel grote zorg en dat is: jou zo ver mogelijk uit de buurt van Montez houden. Jij bent, eerlijk gezegd, het pionnetje in het schaakspel waar de spelers over struikelen. Ik kom er maar niet achter, wat hij van je wil en toch moet het belangrijk zijn, anders zou hij zijn tijd beter gebruiken, dan hier te blijven hangen en jou op de hielen te zitten. Ik kan je niet in een kastje opsluiten maar ik word bijna gek van de zorg om jou en ik ben daar zowat vier en twintig uur per etmaal mee bezig. Ik ben zielsblij als ik je levend en gezond naar je wagentje zie wandelen."
„Word ik daarom zo vaak verplaatst en klopt daarom het rooster helemaal niet meer?" Ze keken elkaar in de ogen. Er hing een grote spanning tussen de twee jonge mensen. Romana's donkere ogen vroegen: Wat beteken ik voor jou? Alleen maar een object, dat je, om de een of andere duistere reden moet beschermen? Mareks ogen zonden een dringende boodschap uit, waarvan hij hoopte dat ze het zou begrijpen. Ik haat die geheimzinnigheid, ik zou zo graag meer vertellen maar dat mag ik niet doen. Probeer dat te begrijpen. Jij bent zo kostbaar, zo onvervangbaar voor mij geworden en ik weet me geen raad als ik jou niet kan beschermen. Met een diepe zucht liet Marek Romana's handen los en leunde achterover in zijn stoel. Romana, met een ongewone blos en neergeslagen ogen, begon opnieuw afwezig in de koud geworden koffie te roeren, tot het tot haar doordrong waar ze mee bezig was. De gespannen stilte duurde voort. Ze waren beiden zo vol van de dingen die ze graag hadden willen zeggen, dat ze geen ander onderwerp van gesprek konden vinden.
Tot Marek tenslotte opmerkte: „Hoe je ook op je hoede probeert te blijven, er worden toch fouten gemaakt. Ik had hier niet rustig op jou moeten wachten maar mee moeten gaan. Ik vond het hier

zo veilig, maar Montez is... excusez le mot, een adder, die overal tevoorschijn kruipt."

„Ik ga het langzamerhand geloven." Romana glimlachte geruststellend, heel lief en warm. „Marek, kijk toch niet zo triest alsof je mij al in de val van dat nare kereltje ziet lopen. Ik pas heus wel goed op mezelf, maar ik wil het niet overdrijven. Ik ben nu eenmaal niet zo verschrikkelijk angstig van nature."

„Daar ben ik wel blij om, maar het houdt wel in, dat je soms roekeloos lijkt, maar het misschien niet echt bent. Jij weet nog niet dat je met vuur speelt als je het bagatelliseert. Zo, en vertel me nu eens of je je pakje al had afgehaald, toen je Montez opeens zag."

„O jawel, hoor," zei Romana met een brede glimlach. „Pakje in m'n tas... afgerekend, dus dat was in orde. Ik stond heerlijk even bij de bloesjes te kijken, dat is een van m'n hobby's. Toen ik opkeek, omdat ik voelde dat er iemand naar me stond te staren, keek ik recht in die zwemmerige ogen. Hij wilde op me toekomen, maar ik ben toen op hol geslagen, zo zit dat." Marek schoot nu toch in de lach want hij had gelukkig wel gevoel voor humor, al kon dat niet meer zo gemakkelijk doorbreken als vroeger en zeker niet in deze ingewikkelde situatie met het bewaken van Romana, waar hij natuurlijk niet op had gerekend.

„Je kreet 'Kilroy was here' kwam heel goed over," zei Marek nog steeds lachend. „Ik zie jou daar komen aanstormen, terwijl je altijd de rust in persoon bent, met de strijdkreet 'Kilroy was here'. Als Kilroy had bestaan, zou het zo iemand als Montez moeten zijn geweest, die is helaas ook overal waar ie niet moet zijn." Hij keek op zijn horloge en constateerde met spijt, dat het tijd werd om Romana naar huis te brengen. „Romana, en die uitnodiging voor de reünie neem ik graag aan. Het lijkt me heerlijk jou eens te kunnen ontmoeten zonder dat opgejaagde gedoe. Daar verheug ik me werkelijk op."

„Ja, ik ook en trouwens, de hele familie kan nu opeens wel, dat is zo leuk. Je leert Het Boshuis nog wel kennen. Ik vraag me af, hoe jij eventueel in een postkoets moet worden gewrongen. De mensen zijn allemaal veel langer dan vroeger en moeten er ongeveer dwars in. Kyra heeft zich in het hoofd gezet, dat als het dan een reünie moet worden, die moet klinken als een klok en de postkoets in de oude luister over de bospaden moet daveren, zoals vroeger. We hebben een echte, heel mooie postkoets in de stallen staan en Dirk onderhoudt dat ding alsof het de gouden koets is, echt een bezienswaardigheid. Toen Dirk 11 jaar was, zat hij,

luid trompetterend op de bok als de oude Bas Lom het span paarden mende. Dat is zoiets ongelooflijks, dat hele tafereel. Je wilde als kind al dolgraag naar Het Boshuis voor de sensatie afgehaald worden door de postkoets."
Marek vond het zo'n mooi verhaal, dat hij gretig luisterde. Romana vertelde maar door en zo vergaten ze opnieuw de tijd, tot ze tenslotte tegen halftwaalf voor de tweede maal aan weggaan dachten.
Ze bereikten zonder moeilijkheden de parkeergarage, waar Marek zijn wagen aan een snel onderzoek onderwierp.
„Wat doe jij nou?" Romana verbaasd. „De wagen doet het toch prima?"
„Ja, en ik wil weten of ie dat ook blijft doen," was het laconieke antwoord. „Ik houd bijvoorbeeld ook niet van films, waarin mensen, die drommels goed weten, dat ze worden bedreigd altijd met hun rug naar het gevaar gaan staan, vergeten deuren achter zich te sluiten en ga zo maar door. Ze kijken ook zelden of er iemand aan hun auto heeft gesleuteld."
„Griezelig," zei Romana kortaf, toen ze tenslotte toestemming kreeg om in te stappen. „Marek, ik word hier toch zo nerveus van! Ik ga die man de volgende keer vragen, wat hij van me wil. Ik kan niet alsmaar blijven vluchten."
„Neen, dat mag je niet doen," zei Marek streng, waarop Romana riep, dat ze dat zelf wel zou uitmaken. Marek werd eindelijk razend en stopte de wagen zó plotseling, dat het maar gelukkig was, dat ze de autogordel al om had anders zou ze beslist tegen de ruit zijn gevlogen.
„Jij vervelende eigenwijze troel, laat je vooral niet raden, hoor," schreeuwde hij. „Ga dan, en doe het meteen. Hij komt daar net de garage in. Vooruit dan!"
Romana schrok zich werkelijk bijna een ongeluk, zowel door Mareks woedende uitval, als door het feit, dat de heer Juan Montez werd gesignaleerd en Marek haar uitnodigde uit te stappen om met hem te gaan praten.
„Je... je... jij..." stotterde ze, vuurrood van ellende en bijna in tranen.
„Dat is duidelijke taal!" sneerde Marek, lijkwit van woede. „Wat denk jij wel niet, hè? Je gelooft me, of je gelooft me niet. In het laatste geval zet ik je hier onmiddellijk uit de wagen."
„Goed dan... goed!" Romana was haar verbijstering te boven en zocht met bevende vingers naar de knip van de autogordel. „Wie

denk jij dat je bent, meneer King-Kong soms? Ik laat me niet dreigen, niet door die kerel daarginds en evenmin door jou. Ik stap wel uit, hoor... mispunt."
Ze sloeg naar hem toen hij de autogordel voor haar wilde losmaken. Het lukte haar niet het ding los te maken, de constructie was anders dan in haar eigen wagen. Ze hield er dan ook mee op en keek Marek ijskoud aan.
„Dat lijkt me handig in noodsituaties," zei ze kil en opeens heel kalm. „Ik krijg dit ding niet los."
„Ik zou je toch niet hebben laten gaan," grinnikte Marek. „Bovendien was Montez er natuurlijk niet. Ik werd opeens zo verschrikkelijk driftig om dat stomme gezeur van je. Je stelt je aan, alsof ik bezig ben een interessant spelletje op te voeren om indruk op jou te maken. Het is al moeilijk genoeg zonder dat tegenwerken van jou, begrijp je wel?"
Hij wachtte op haar antwoord maar ze zei niets. Hij ging verder en zijn stem begon weer ongeduldig te klinken: „Ik eis heus niet, dat je onderdanig toegeeft, dat ik het 't beste weet, ofschoon dit nu wel degelijk het geval is. Ik vraag je alleen je gezonde verstand te gebruiken en mee te werken als je hier zonder kleerscheuren uit wilt komen. Als je dus niet dwars blijft liggen en niet denkt, dat ik leuk wil zijn, dan behoeven we daar nooit meer een twistpunt van te maken. Ik heb namelijk een enorme hekel aan dat eeuwige gekibbel."
Romana haalde haar schouders op en bleef stuurs naar rechts kijken. Marek had haar onverwachts heel wat te slikken en te verwerken gegeven en dat had tijd nodig.
„Romana," vroeg Marek tenslotte. „We zijn er bijna en jij zit maar te zwijgen. Wat denk je nou eigenlijk? Zeg het liever."
„Misschien heb je wel gelijk, maar je had toch niet zo behoeven te schreeuwen?" Ze keek even naar hem met boze zwarte ogen, want als Romana kwaad was, werden de fluweeldonkere zachte ogen op onnaspeurlijke manier roetzwart als een dreigende onweerslucht en keihard. „Ik houd niet van schoktherapieën. Die kun je voortaan wel achterwege laten. Ik ben gewend beleefd tegen de mensen te zijn, zelfs als ik daar eens geen zin in heb; dat is een goede training, geloof dat maar. Ga dus nooit meer tegen me te keer alsof je het tegen je hond hebt en dat beest, als je althans een hond hebt, hoef je ook niet zo af te snauwen. Dat wilde ik maar even zeggen."
Marek was er, wonderlijk genoeg, niet boos om. Hij had een

groot incasseringsvermogen en kon royaal zijn ongelijk bekennen, wat hij dan ook deed.
„Je hebt gelijk maar ik kan soms, gelukkig echt maar soms en niet dikwijls, heel driftig worden. Niet goed, ik weet het, maar de druk moest blijkbaar even van de ketel. Ik heb me veertien dagen razend ongerust gemaakt en jij gaat overal dwars tegenin, terwijl je even daarvoor wel degelijk op de vlucht bent geslagen. Ik had je daarginds in die garage met genoegen even stevig doorelkaar geschud. Tja, en toen ging ik schreeuwen. Het spijt me... zeg. En wat kun jij roetzwart kijken... om te schrikken!"
Romana keek hem verbluft aan en schoot toen, nog wat onwillig, in de lach waarmee het incident van de baan was.
Kyra was juist bezig een enorme mand boodschappen uit de bagageruimte van haar auto te hijsen, toen Mareks wagen achter de hare stilhield. „Je komt als geroepen!" Ze wuifde vrolijk. „Dag Romana, blij dat je er weer bent. Een lange vlucht deze keer, hè?"
Ze kuste Romana hartelijk en Marek was intussen met de boodschappenvracht verdwenen, hij had alles al in de grote keuken gedeponeerd toen ze binnenkwamen.
„Goh, wat een geluk, dat je niet opgevreten bent door ons schoothondje!" Kyra sloeg verschrikt de hand voor de mond. „Hij duldt helemaal geen vreemden op zijn gebied."
„Hij schijnt een goed geheugen te hebben, hij kende me nog van de vorige keer, denk ik." Marek aaide de hond over zijn enorme kop. „Ik heb zelf ook een hond en bovendien ben ik absoluut niet bang voor honden. In ieder geval mag hij me wel."
Tiger maakte het nog bonter door in de zitkamer onmiddellijk aan Mareks voeten te gaan liggen en daar was hij niet meer weg te krijgen. Marek genoot zichtbaar van de sfeer in dit huis, van het opgewekte gesprek tussen Romana en Kyra en de zonnige kamer en van de hond aan zijn voeten.
„Hij voelt zich thuis," dacht Romana. „Alsof dit voor hem iets heel bijzonders is. Waar komt hij toch vandaan, en dan vraag ik me altijd meteen af: en waar gaat hij heen?"
„Over veertien dagen is het long weekend in Het Boshuis, dat staat vast. Er is dus rekening gehouden met jou," vertelde Kyra enthousiast. „Het is wel een enorme organisatie maar iedereen is zo blij. Er is van alle kanten medewerking en iedereen wil dolgraag komen. Ik hang zowat de hele dag aan de telefoon en ben ook al drie keer naar Het Boshuis geweest om met Dirk en Rita te confereren. Teun is met me meegereden en inspecteerde als

een generaal huis, hof en keuken, maar daar ontbrak niets aan, dankzij de voortdurende zorgen van Dirk en Rita. Alles staat op z'n plaats, alles blinkt, de schilderijen, het antiek, alles staat er zoals vroeger. Het is echt een goed onderhouden prachtige behuizing, klaar om iedereen te ontvangen. Dirk is altijd gek met Het Boshuis, het is zijn hobby en hij heeft Rita ook enthousiast gekregen. Je voelt je alsof je na een lange reis thuiskomt. Ik moet bekennen dat ik dit bezoek toch heel anders beleefd heb dan alle andere vluchtige bezoeken van de laatste jaren, bezoeken die altijd met een gevoel van ergernis en teleurstelling waren vermengd. Het leefde nu allemaal weer zo. Michael en ik werden er romantisch van. We hebben zeker wel vijf minuten, hand in hand naar de oude postkoets staan kijken. We hebben ons in dat ding verloofd... of althans, de vrede is er hersteld."
„Hadden jullie dan ruzie?" vroeg Romana op een toon alsof ze zich dat maar nauwelijks kon voorstellen. „Echt grote ruzie? Het is toch niet waar?"
„Doe niet zo gek," zei Kyra kregel. „Dat heb ik je toch al verteld, toen je mijn foto-album te pakken had, of niet soms?"
„Ja, je prevelde zoiets van misverstanden. Heel goed weet ik het niet meer, het doet er ook niet toe en het gaat me niet aan." Ze keek in Mareks richting. Hij had met belangstelling geluisterd, omdat hij Romana zo graag wilde leren kennen zoals ze was in haar eigen omgeving en niet alleen maar als de mooie, gereserveerde stewardess waar hij tot nu toe mee te maken had gekregen. Dat ze het thuis naar haar zin had was duidelijk. Ondanks het feit, dat ze haar ouders zelden ontmoette en dat heel verdrietig vond, had ze een warm, gelukkig thuis en voor Kyra was Romana gewoon een dochter, dat was duidelijk. Hij maakte daar een opmerking over, omdat Kyra vroeg waarom hij zo peinzend en erg stil zat te kijken, een beetje triest ook.
„Ik kan Romana niet anders zien dan als een kind van ons. We kregen haar in huis als zes weken oude baby, wat wil je? Ze is een kind van twee paar liefhebbende ouders, zeggen wij altijd."
„Ja, waarop ik dan antwoord, dat ik zogenaamd 'enig kind' ben, maar wel met twee zusjes en een broer." Romana's glimlach voor Kyra was heel zacht, heel lief. „Ik miste mijn ouders. Ik mis ze nog steeds, maar het is meer een heel zacht knagende pijn. Ze zijn er immers, ze bestaan en af en toe mag ik ze ontmoeten en dat is een feest. Voor de rest, al het goede wat een kind in een ouderlijk huis kan hebben, is er altijd geweest, zie je. Merel en

Alexander zijn twee schatten, twee juwelen, op de achtergrond van mijn leven en af en toe mag je ze eens uit het juwelenkistje halen en bewonderen en liefhebben, ja, dat vooral. Ik had een heel eenzaam kind kunnen zijn, maar dat ben ik toch nooit geweest Marek; heb jij zussen en broers?"
Hij had zo intens geluisterd, dat hij schrok van haar vraag. Ze zag zijn gezicht veranderen. Het werd heel strak, heel gesloten en Kyra zei, veel later, tegen Romana: „Toen je dat vroeg, werden de luiken gesloten, zo voelde ik het. Wat heeft hij toch voor geheimzinnigs, die Marek. Ik vind 'm sympathiek maar ik begrijp niets van hem."
„Ja, ik heb een zusje. Mijn ouders leven niet meer," antwoordde Marek na een korte, gespannen stilte.
Hij zei het met zo'n duidelijke tegenzin, dat Kyra noch Romana verder durfden vragen. Tiger keek op en staarde Marek aan, alsof hij moeilijkheden aanvoelde, toen legde hij met een zucht zijn kop weer op zijn voorpoten. Kyra, die de gave had, moeilijke gesprekken glad te strijken zei rustig: „Ach ja, het valt vaak moeilijk meteen over zulke dingen vlotweg te vertellen. Het spijt me, Marek, maar dat konden we niet voorzien. Zeg, je komt toch ook wel op onze reünie, hè? Alles is keurig geregeld, het wordt wel een volgeladen huis. Wil er nog iemand koffie?"
Marek en Romana gingen op haar vraag in, maar bij alledrie bleef het angeltje toch steken, hoewel het gesprek nog een tijd gezellig voortkabbelde tot Marek opstond en zei dat hij weg moest. Tiger stond loom op en rekte zich uit. Waarom moesten mensen toch altijd gaan lopen als je je als hond eens echt gezellig bij hen had geïnstalleerd?
Hij liep met Romana naar het tuinhek.
„Wat een lieve hond is Tiger." Marek klopte hem liefkozend op zijn kop. „Ja, maar als iemand probeert aan zijn mensen en zijn huis te komen, verscheurt hij je. Je hebt geluk, hij mag je blijkbaar graag."
Marek greep Romana's hand, toen ze Tiger ook een aai over zijn kop gaf. „Je begrijpt er niets van. Je vindt me een gekke vent, weet niet wat je van mij moet denken. Kyra weet het evenmin." Mareks stem klonk schor. „Ik zou je... je ongeloof in wat mij drijft kunnen wegnemen... Ik stel heel veel prijs op jouw... vriendschap. Wil je me vertrouwen? Graag door dik en dun. Maar dat zal wel te veel gevraagd zijn, is het niet, Romana?"
„Ik weet het niet. Mijn vleugje mensenkennis, dat ik heb opge-

daan fluistert me in, dat ik bezig ben het je ontzaglijk moeilijk te maken omdat er, ergens, een persoonlijke tragedie achter dit alles schuilt." De donkere ogen waren zacht.
„Je hebt het moeilijk, is het niet... Marek?"
„Een vleugje mensenkennis, zei je dat, Romana? Je bent voor mij een wonder."
Hij trok haar tegen zich aan en met zijn gezicht tegen het hare hoorde ze hem fluisteren: „Tot dit ogenblik heeft niemand me ook nog maar een vleug troost kunnen geven. Dank je, omdat je het wist. Ik kan het nou niet vertellen. Alles is niet alleen mijn geheim maar vertrouw me alsjeblieft, Romana. Dat jij bestaat heeft me weer moed gegeven en ik wil dat jij veilig bent, en blijft."
„Ik vertrouw je," zei Romana, legde haar hand tegen zijn gezicht en streek over zijn haar. „Doe het maar allemaal zoals jij het 't beste vindt, Marek, maar verdwijn geen weken meer zonder me te laten weten waar je bent."
Er viel verder niets aan toe te voegen, het ogenblik was zo goed en veelzeggend geweest. Ze liep langzaam terug naar het huis. Kyra stapelde de kopjes op het blad en keek op, toen Romana binnenkwam.
„Ik vind 'm leuk," zei ze meteen ronduit, „maar ik begrijp niets van 'm. Dat hoeft natuurlijk ook niet, als jij 'm maar begrijpt."
„Nee hoor, ik snap 'm evenmin." Romana zat op de zijleuning van een grote stoel en schommelde verwoed met haar linkervoet, rakelings langs Kyra's tafeltje waarop een kostbare vaas stond. Ze keek verstoord maar zei er niets van.
„Is hij dan niet je vriend?" Kyra zette het koffieblad neer.
„Neen hoor, niet m'n vriend," glimlachte Romana afwezig.
„Niet je vriend?" echode Kyra. „Ik kan er niets aan doen, dat ik jullie heel innig aan het tuinhek zag staan. Dat is jouw zaak, hoor, maar... eh... hij is dus niet je vriend."
„Ja, wel een vriend maar niet zo een, onduidelijk, hè?" Romana kreeg door, dat ze Kyra ontzettend irriteerde met haar geslinger en vage uitspraken. Ze stond op van de stoel en zei ernstig: „Ik praat niet zo vaag om jou te treiteren, als je dat soms mocht denken. Ik weet een heleboel nog niet over Marek, maar ik denk dat hij mij... eh... heel aardig vindt, maar tot over zijn oren in problemen zit waarover hij niet kan of mag praten en dus echt nog niet toe is aan het kiezen van iemand die helemaal bij hem hoort. Ik vind 'vriendin' niet leuk klinken. Misschien en dat hoop ik

heel vurig, word ik toch nog eens de vrouw in Mareks leven. Maar ik weet het niet, begrijp je, Kyra?"
Ze aarzelde en dacht erover Kyra wat meer te vertellen maar besloot toch niet over Montez te praten. Kyra zou zich natuurlijk toch ongerust maken. Nu liep ze zich tenminste alleen af te vragen of Marek toch wel de juiste man was voor haar Romana en wat hij in vredesnaam had uitgespookt, dat hij daar zo geheimzinnig over moest doen. Het was niet prettig, dat Kyra op die manier met Marek bezig was, maar wel ongevaarlijk, terwijl het verhaal over Montez dit beslist niet was en nog veel meer problemen zou opleveren omdat Kyra er natuurlijk met haar man over zou willen praten en wie kon voorzien, wat hij voor maatregelen zou willen gaan nemen om haar te beschermen. Juist omdat ze altijd de zorg hadden gedragen, volledig, voor het kind waarvan ze zielsveel hielden maar dat het hunne niet was, waren ze eerder ongerust dan bij hun eigen kinderen. Al zou Kyra het niet gauw toegeven, dat gevoel van dubbele verantwoordelijkheid kon ze niet uitroeien. Geen verhalen over de heer Juan Montez dus, besloot Romana. Wat niet wist deerde ook niet.
Romana nam het koffieblad over van Kyra en keek haar tante van heel dichtbij aan.
„Is er nog iets, Roma, je kijkt zo peinzend. Zeg het maar."
„Weet je wat ik zo erg vond? Dat Marek, die ik voor keihard heb versleten daar aan het tuinhek bijna in tranen was. Er moet heel wat gebeurd zijn om hem zover te krijgen. Vandaar, snap je?"
„Ja," zei Kyra zachtjes en gaf Romana spontaan een zoen. „Laat de tijd zijn werk doen en vraag Marek voorlopig niets. Je bent er, dat is voor hem voorlopig al heel veel."
Romana liep met haar blad naar de deur. Daar stond ze nog even stil omdat Kyra haar riep: „Romana, heb jij wel eens meegemaakt, dat Tiger vriendelijk was tegen mensen die een... eh... ernstig karakterdefect hebben?"
„Nee, eerlijk gezegd heb ik Tiger zich nooit eerder zo zien uitsloven voor iemand die hij niet kent." Romana lachte opeens hartelijk en heel ontspannen. „Ik was er wel blij mee."
Ze voelde zich een stuk beter na het korte gesprek met Kyra en zo was het haar hele leven geweest.

HOOFDSTUK 6

„Een dag voor de grote volksoploop en geen uitvallers," zei Franz Gesinger, de echtgenoot van Kyra's dochter Lon. Het klonk nogal neerbuigend. Hij was meegekomen op dringend verzoek van zijn vrouw maar hij wist niet, wat hij van de zaak moest denken. Het was duidelijk dat hij er niets in zag en er niet in geloofde. Dat kon hem, volgens Lon, niet kwalijk worden genomen, want hij had geen gelukkige jeugd gehad en de meeste jaren had hij doorgebracht in een 'Kinderheim'.
„Wacht maar af, man," mompelde Michael, die zich met een krant en een dik detectiveboek in de serre had teruggetrokken en alle drukte rondom hem gewoon niet wenste te horen.
Tona, door de hele familie liefkozend Teuntje genoemd, statig en nog heel knap met haar zilverwitte haren in gebeeldhouwde golven rond haar frisse gezicht, overzag de troepen en keurde alles goed.
„Ongelooflijk, nou is ze zoveel ouder en haar gezicht lijkt nog steeds op een gepoetste bellefleur," had Michael bewonderend gezegd. „Wat is het toch een fantastisch mens! Zonder haar regie konden jullie de hele zaak wel vergeten. Franz, van haar regie kan jij als vakman nog wat leren." Bovendien had Rita, de vrouw van Dirk, vriendschap met Teun gesloten en aan haar had Teun een goede hulp. Dirk had met dochter Wietske en zoon Ruurt de postkoets gepoetst en de prachtige met zilver beslagen tuigen van de paarden. Dio en Cora waren er niet meer. Cora was dood en Dio, destijds een jong paard, liep te rentenieren in een 'tehuis voor oude paarden', die net zo goed de haver nog verdienen.
Waar Dirk de twee prachtige paarden vandaan had, werd niet duidelijk, maar hij had zoveel goede relaties, en waarschijnlijk omdat hij ook een goede en behulpzame 'naober' was. Hij hielp waar hij kon en daarom stonden er nu twee glanzend geborstelde kastanjebruine paarden in de oude stal. Niet iedereen zou met de postkoets worden afgehaald, men had dit vooruit laten weten. Het waren natuurlijk vooral de familieleden met jonge kinderen die hadden 'ingeschreven' voor de postkoets.
Romana, gewend als gastvrouw op te treden, had die taak nu op zich genomen.
De familie Marting arriveerde vroeg. Lon, met haar man Oscar Marting, beroemd dirigent, kwamen samen. Romana liep hen tegemoet, maar Kyra had haar zuster zien komen en viel Lon als

eerste om de hals: „Ha, Lon, waar is je aanhang? Zo maar samen met manlief?"
„Philip zal wel alleen komen in die oude brik van hem en daar krijgt hij ons niet in," zei Oscar; hij had het over de enige zoon van Lon en hem. Dochter Gabriëlle, gehuwd met de zanger Andre Wilreys, stamde uit een eerder huwelijk van Oscar.
„Gaby en Andre willen natuurlijk voor Ushi en kleine Toby met de postkoets." Lon schudde haar nog altijd mooie blonde haren. „Hoewel Ushi dat met haar twaalf jaren niet wil weten, die schuift het op Toby, maar ze wilde toch liever met haar vader en moeder meerijden... al ergert ze zich onderweg altijd aan Toby. Maar ja, die koets, hè? Dag Romana, kind, je wordt met de dag meer het evenbeeld van je moeder, maar dan met donkere ogen in plaats van de groene kijkers van Mereltje, dag schat."
„Ja? Nou, jij ziet er ook leuk uit, zo slank, jeugdig." Romana vroeg zich onwillekeurig weer af, wat het geheim van de jonge jaren van haar tantes was, maar het ging haar nu eenmaal niet aan. Lon was, na Kyra, de liefste tante. Met de kalme familie Van Dijck; Tina, Ian en 'de drie Jeetjes,' hun kinderen Jelle, Joan en Jessie, was iedereen goede vrienden, maar je zag of hoorde ze sinds onheuglijke tijden bijna niet. Ze trokken zich nooit terug, deden wel overal aan mee, maar zochten zelden zelf contact.
Vriendelijke, lieve mensen, een beetje grauw, dacht Romana toen ze een kwartier later de Van Dijckjes begroette. „Tina lijkt ook veel ouder dan de anderen, maakt weinig van zichzelf."
Ze waren, als familie altijd één, samen gekomen: vader, moeder en de drie Jeetjes met aanhang. Jelle, getrouwd met een Engelse actrice, was met vrouw Joyce (alweer een 'J', hoe had hij het zo uitgezocht) dacht Romana. Zij was een laconieke Engelse, met een mager gezichtje en een enorme bril op; dit alles omkranst door een bos stroblond haar en haar handdruk was van de soort, waarbij de vingerkootjes van het slachtoffer over elkaar schoten.
Geen van de drie Jeetjes had kinderen, zodat voor hen de postkoets niet in aanmerking kwam. Ze zouden het, diep in hun hart, ook vreemd hebben gevonden daarin te moeten rijden.
Romana bleef de stralende gastvrouw spelen, dan kon ze niet te veel nadenken. De hele familie kwam bijeen, zelfs de vele kleinkinderen, maar haar vader en moeder waren er niet en van Marek had ze ook nog niets gehoord.
Als ze de tijd had kunnen vinden om in een hoekje te gaan zitten, zou ze waarschijnlijk een potje hebben gejankt.

Thierry en zijn freule kwamen in een lichtgrijze imposante slee aanrijden. Hun tweeling, Ageet en Udo zaten, beiden als arts, in ontwikkelingsgebieden en konden dus niet komen.
Kyra kon zich telkens opnieuw slecht voorstellen, dat deze statige schout-bij-nacht haar vroeger slungelige broer Thierry was. Ingeborg was altijd zichzelf gebleven, gul, goedlachs, goede vrienden met iedereen en heel gastvrij en absoluut geen aanstellerij wegens haar adellijke afkomst.
„Ik was eigenlijk liever met de postkoets gekomen," riep Ingeborg ze stapte uit en haar tas viel op de grond. „Maar Thierry wilde niet... Wat heerlijk om jullie allemaal tegelijk te ontmoeten. Dag Romana, kind, wat ben je toch mooi!"
Romana trok een lang gezicht. Ze had er langzamerhand een beetje genoeg van dat in alle toonaarden te horen en als het helemaal verkeerd ging, ook nog met de bijvoeging: „Wat mankeren al die jongelui dat ze jou nog niet veroverd hebben, een van allen," alsof dat alleen aan je mooie gezicht lag en zij zich daarom maar zonder meer zou willen laten 'inpalmen' door een of andere mooie jongen op veroveringspad. Zo was dat toevallig niet. De hele familie zou wel vreemd kijken als Marek nog op kwam dagen en zich afvragen „of dat 'm nou was."
Dat wist ze overigens zelf nog niet, voor zover het Marek betrof. Van zichzelf was ze heel zeker.
De volgende familie die arriveerde en met gejuich werd binnengehaald was Jos van Donckeren, die met haar man kwam. Ze woonden op een grote boerderij op de Veluwe, en hadden de drie kinderen bij de familie Wilreys gebracht.
„Ze wilden allemaal tegelijk in de postkoets," deelde Romana's pleegzusje opgewekt mee. „Ze mochten daar logeren. Dag Roma, lieve meid. Waar is mama? O, daar komt ze al!"
Josjes man, Otto, die door zijn vrouw steevast Otje werd genoemd, begroette de familie vriendelijk en een tikje plechtig. 'Otje' paste dan ook helemaal niet bij hem, maar uit louter liefde voor zijn vrolijke Jos verdroeg hij het lijdzaam dat ze hem zo noemde; het was goed bedoeld, daar troostte hij zich mee.
Roel, van Kyra, en Philip, van Lon, de vrolijke neven, kwamen samen in een absoluut gammele rode auto. Zo zag het ding er althans uit, maar motorisch was het in orde. Romana, die uitvoerig door de neven werd begroet vroeg zich af, wat er leuk was aan een motorisch goed sportwagentje met het uiterlijk van een sloopauto.

„Nou, er zijn toch ook mensen die er heel lelijk uitzien en een gouden hart hebben," zei Roel. „Zijn die dan niet waardevol?"
„Hèhè..." mompelde Romana nijdig. „Een mens is geen auto, al doet men tegenwoordig alsof dit wel zo is. Je vindt het zeker leuk bij elke controle van de weg te worden geschept en dan de gezichten van de Sterke Arm te zien als ze gaan controleren, leuk hoor. Enfin, jullie worden niet wijzer. Ga maar gauw naar binnen, stort je in het gewoel. Ik heb echt niet langer tijd voor je en zet eerst dat vehikel achter het huis, op de parkeerplaats, hier sta je in de weg."
„Ja, schat," zei Roel. Romana was tenslotte zijn 'zusje' en Philip, de jolige, lachte zich altijd krom om hun woordenwisselingen.
De familie was intussen compleet en de speciale gasten van 'het eerste uur', die een uur later dan de familie zouden arriveren, begonnen binnen te druppelen. Kyra had Romana's plaats ingenomen, omdat Romana deze mensen natuurlijk niet kende.
De eerste die prompt op tijd arriveerde was Georg van Galen, commissaris van politie met zijn vrouw, een heel bekend zangeres. Ze hadden elkaar destijds in Het Boshuis leren kennen. Hij bracht zijn neef Leo met diens vrouw Zita mee. Kyra begroette hen hartelijk. Ze had Zita destijds leren kennen, lijdend onder de naam 'Zoetje' en een dominerende moeder. De onverschillig uitgedoste tiener van destijds, zoals Kyra zich haar herinnerde, was nog steeds heel modebewust, een dure uitgave van de voormalige Zoetje-Zita. Haar man, Leo, lang, mager en ernstig, gehuld in zeer dure, uiterst moderne spullen, suède schoenen en een dito jack, en kennelijk goed gedresseerd door Zita, die helaas net zo dominerend optrad als haar moeder destijds had gedaan. De vrolijke Leo van vroeger zag Kyra dan ook niet meer in deze stille man.
Ze had nauwelijks tijd zich er verder in te verdiepen, want de laatste gasten waren haar ook het liefst. Perry en Andra Finster Verburg, destijds het vrolijke stel met de ondeugende tweeling Joost en Ingeborg, die Het Boshuis op stelten zetten. In de donkere tijd, toen de familie tijdelijk uit elkaar was gevallen, had Kyra in het bedrijf van Perry gewerkt als leidster van de kindercrèche voor kinderen van werkneemsters. Ingeborg en Joost waren er ook nu bij. De laatste werkte in het bedrijf van zijn vader en was nog vrij zei hij met een hoopvolle blik naar Romana. Ingeborg was getrouwd met een zeeman.
Romana stond een beetje verloren te kijken naar al dat enthou-

siasme, de hartelijke begroetingen van mensen die elkaar herkenden en nu, na jaren, terugzagen.
„Romana, ik kon je zo gauw niet vinden in het gewoel!" Onverwachts Mareks stem en zijn arm om haar schouders. „Je staat zo weggedoken in een hoekje."
„Ik stond na te denken, jaloers te zijn. Ik mis mama en papa op zo'n ogenblik als dit, juist omdat ik deze reünie zo bijzonder vind. Ik dacht dat jij ook niet zou komen. Iedereen is er al, behalve de kinderen," zei Romana en ze voelde zich opeens een stuk minder verdrietig. Ze was er zich ook van bewust, dat er naar haar en Marek gekeken werd en daar was ze trots op. Marek mocht gezien worden en bovendien vond ze de verrassing geslaagd. Zo maar een knappe vreemdeling op het intieme familiefeest, die zich uitsluitend met Romana bemoeide!
Romana keek voorzichtig naar Marek, ze wisselden een lachende blik van verstandhouding. Het was zo duidelijk, dat iedereen dacht: „Ik ben nou wel zo druk in gesprek, maar zo gauw ik de kans zie weg te komen moet ik daar meer van weten..."
„Ik weet wat ze denken," fluisterde Marek Romana in het oor.
„Dat is niet zo moeilijk, het straalt van ze af. Wel, laat ze maar. Ze zijn altijd zo nieuwsgierig naar alles wat ik doe en ik doe nooit iets bijzonders."
„Daarom juist," fluisterde Marek terug en ze schoten samen in de lach als een paar samenzweerders.
Lon bleef bij hen stilstaan, knikte vrolijk tegen Marek en vroeg aan Romana: „Bevalt het je nog steeds in hoger sferen? In de letterlijke betekenis, hoor." Ze keek Marek aan met goedkeurende ogen. „Ik heb vroeger hetzelfde beroep uitgeoefend en ik vind het nog altijd prettig daaraan terug te denken."
„Allemaal fijne herinneringen aan vroeger?" Lon hoorde het lichtelijk spottende toontje in Romana's stem en meteen wist ze: Romana weet iets. Het verleden is nooit werkelijk voorbij, maar wat weet ze nu eigenlijk?
Ze draaide zich af en keek naar Kyra. Ze wist dat zij nooit zou praten. Het was nu niet het juiste ogenblik er met Romana dieper op in te gaan. Marek, die oplettend had geluisterd, voelde de onderstroming in het rustig kabbelende gezelschapsgesprek. Op dat ogenblik riep Thierry met zijn ver dragende sonore stem, zodat iedereen hem hoorde: „Ik hoor de posthoorn... daar komt de koets met de kinderen!"
Kyra keek met even een licht gevoel van onwerkelijkheid naar het

gezelschap. Het was voor haar een terugblik in de tijd, want net als vroeger liep het hele in groepjes verdeelde gezelschap haastig naar het terras. Ook in deze harde tijd had de postkoets nog dezelfde betovering als tientallen jaren eerder. Dirk, die vroeger als kleine postiljon met de oude Bas Lom op de postkoets had gereden, wist precies hoe hij het spelen moest. Zijn zoon blies luid en klaterend een overwinnings-fanfare op de posthoorn; hij was blijkbaar uitstekend geoefend. De paarden voor de koets trokken er pittig aan, de paardenhoeven klopten dof en rythmisch op de bosgrond. Daar was de koets dan... een lief en onwerkelijk beeld uit lang vervlogen tijden en een dierbare herinnering uit de begintijd van Het Boshuis en net als toen zat de koets vol enthousiaste kinderen. Dirk liet de paarden zachtjes uitlopen en stopte keurig voor het hek. Iedereen verwachtte dat de deur open zou gaan en de dol enthousiaste kinderschare naar buiten zou buitelen, maar dat gebeurde niet en niemand begreep er iets van. Dirk klauterde van de bok, gevolgd door zijn zoon en opende plechtig het portier. In de koets was het muisstil geworden. Dirk klapte het trapje uit en met zijn hand als steun wipte een kleine, slanke vrouw naar buiten, gevolgd door een lange man, prompt gevolgd door een gillende kinderschare, die zich met moeite aan het bevel gehouden had.
„Mama... papa..." schreeuwde Romana, en holde de tuin door. Ze zag niets anders meer en zielsgelukkig viel ze haar ouders in de armen. „Wat een verrassing, dat had ik niet durven dromen..." Ze lachte en huilde tegelijk. Het hele gezelschap, behalve de kinderen, stond stil te kijken. Lon, die toevallig naar Marek keek, zag hoe bleek hij zag en hoe hij keek... alsof hij intens verdriet had. Zou hij dan zo jaloers zijn? Ze kon het zich nauwelijks voorstellen en spontaan deed ze een pas in zijn richting.
„Scheelt er iets aan?" vroeg ze zachtjes. „Voel je je niet goed?"
„Ik voel me goed," zei hij maar zijn stem klonk onvast. „Ik ben zo blij voor Romana, ze miste haar ouders zo erg."
Lon knikte hem hartelijk toe en vroeg niet verder, hoewel ze toch het sterke gevoel had, dat ze alleen maar het topje van de ijsberg had ontdekt.
„Onze verrassing is goed geslaagd." Alexander had zijn arm om de schouders van zijn dochter geslagen. „Het is haasten en een grote omweg. Morgenavond moeten we weer weg, maar het is de moeite waard, popje."
Het was het oude troetelnaampje, dat ze in jaren niet had

gehoord. Popje... als het trotse Romana hem opeens te veel werd. Merel en Alexander gingen voor zeker tien minuten volkomen onder in een kring van drukpratende enthousiaste mensen, die hen allemaal wilden begroeten, die allemaal vroegen waar ze vandaan kwamen en waarheen ze hierna weer vertrokken.
„Hallo jij." Opeens dook Romana aan Mareks zij op en stak haar arm door de zijne. „Ik was je even kwijt. Ik wil je graag aan mijn moeder en vader voorstellen... Dat wil ik zo graag, kom nou!"
Merel en Alexander hadden zich tenslotte uit de kring kunnen losmaken en liepen in Romana's richting. Ze had hen ingefluisterd: „Ik wil je aan een heel speciaal iemand voorstellen, maar zeg er niets van; zover is het nog niet, als je snapt, wat ik bedoel."
Dat begrepen ze dus wonderlijk goed, toen Romana, trots en gelukkig maar ongewoon zacht en schuw zei: „Dit is Marek. We hebben elkaar in het vliegtuig ontmoet, ja, waar anders, hè? We... eh... we mogen elkaar graag en zijn goede vrienden."
Ze hoorden de onmiskenbare waarschuwing in haar stem.
„Wat prettig nu ook eens met een vriend uit Romana's kennissenkring te kunnen praten," zei Merel met een stralende lach.
„Ja, dat vinden we best een voorrecht," vulde Alexander haar woorden aan, toen Merel vragend naar hem opkeek. „Het klinkt misschien gek, maar het is altijd een verwoed grabbelen en graaien naar een sprankje nieuws over onze schat en Merel kan geen telefoon zien of ze wil er, zeker een keer per week op af. Dat mag ze, hoor, maar ja, Roma is er dan net vaak niet. Een gesprek met zus Kyra is ook nooit weg, hè Mereltje?"
Merel noch Alexander wisten waarom ze de man aan Romana's zijde zo bijzonder sympathiek vonden. Hij had iets buitengewoons en het stond ook voor hen beiden vast, dat Romana en Marek, al was er dan misschien alleen maar vriendschap tussen hen, meer dan gewone belangstelling voor elkaar koesterden maar blijkbaar niets wilden overhaasten, om welke reden dan ook.
Dat moest gerespecteerd worden, dachten Romana's ouders en maakten dan ook geen toespelingen, wat niet van alle andere gasten gezegd kon worden. Het werd, nu alle mensen er waren, een receptie van allemaal vrienden, die elkaar zo verschrikkelijk veel te vragen en te vertellen hadden. Niemand van de jongeren behoefde te vragen: „Wie ben jij nou eigenlijk?" want iedereen droeg een schildje met zijn of haar naam en het werd daardoor

meteen voor de jeugd een leuke sport om 'naampje' te lezen.
Tussen de deinende massa, zoals Philip luid zei, liep Teun als een indrukwekkende vorstin rond en hield alles in het oog en zoals dat vroeger het geval was geweest, rende ook nu voortdurend een klusje kinderen achter haar aan. Teun had nog dezelfde enorme aantrekkingskracht.
Romana keek nadenkend naar haar vader en moeder, die druk in gesprek waren met Lon en haar man. Ze vond het nog steeds vreemd, dat haar vader zo lang met Lon verloofd was geweest en nooit iemand daar over had gepraat. Ze had er natuurlijk ook niets mee te maken maar toch... Ze stond naast de telefoon en schrok, toen het ding begon te rinkelen. Het was een te harde bel, die Michael meende nodig te hebben, maar waar iedereen zich verder aan ergerde. Marek, die met Philip had staan praten liep op Romana toe. Ze nam de telefoon op, luisterde even en gooide de hoorn neer. „Iemand die er wel was maar niets zei." Ze haalde ongeduldig de schouders op. „Heel vreemd. Ik hoorde iemand ademhalen, dus er was echt iemand."
„Heb jij je eigen naam genoemd?" vroeg Marek terloops maar dat had ze niet gedaan en hij knikte goedkeurend. „Romana, ik vind dat je erg aardige en interessante familieleden hebt. Het is ook een bijzondere bijeenkomst en ik geloof dat iedereen er zo over denkt."
„Ja, en hoe vind je mama en papa?" Ze straalde en begon toen te lachen. „Dat is geen intelligente vraag. Je zou het me toch niet zeggen als je hen niet aardig vond."
„Neen, maar ik hoef niet te huichelen, ik vind ze aardig," zei Marek kalmpjes.
„Dat was dan wederkerig, dat weet ik zeker." Hij bukte zich en kuste haar op haar wang.
„Anders staat het zo kaal," fluisterde hij en zijn ogen tintelden spottend. „Meer is zeker niet veroorloofd?"
„Vraag je dat altijd zo netjes?" Ze liep met een onverschillig vriendelijk knikje weg, helemaal de beroepsmatig vriendelijke stewardess.
Teun, op weg naar de keuken, vroeg aan Romana of ze een schaal toastjes wilde gaan halen; de meisjes waren allemaal bezig. Lon, die Romana graag even alleen wilde spreken maar er nog geen kans voor had gezien, liep haar nu snel achterna.
„Kan ik ook helpen?" vroeg ze. „Maar ik wilde eigenlijk eerst iets vragen. Kyra vertelde me dat je een foto-album hebt gezien

omdat je een oude foto van je moeder nodig had en ik dacht, dat je een beetje vreemd tegen mij deed, toen ik binnenkwam. Zulke dingen praat ik liever meteen uit. Wat heeft je zo gehinderd, m'n kind? Dat ik, heel lang geleden, met jouw vader verloofd ben geweest? Dat is toch niet jouw zaak?"
„Neen, maar ik houd niet van die geheimzinnigheid, een fotoalbum dat weggehouden wordt... Kyra deed daar nogal overdreven over. Natuurlijk is het niet iets wat mij aangaat, ik kan alleen dat geheimzinnig doen over een normale zaak niet uitstaan. Er is toch niets waar jullie je over behoefden te schamen... integendeel, volgens Kyra's verhaal. Zulke dingen komen nu eenmaal voor. Het zal best een verschrikkelijk moeilijke tijd zijn geweest, voor jullie alledrie."
„Ja, dat was ook zo. Heeft Kyra verder niets gezegd?" vroeg Lon. Haar smalle gezicht met het hoog opgestoken blonde haar had iets heel liefs en Romana was altijd dol op haar tante Lon geweest.
„Welneen, uit Kyra moet je ieder woord trekken, dat weet je wel," zei ze. „Als ik die foto van jou en mijn vader niet had gezien, zou ze niets hebben verteld."
„En als ik je goed ken heb jij toen gedacht: En wat zit er nog meer achter," klonk Lon's stem spottend. „Lieve meid, daar zit niets achter, om je uit de droom te helpen. Ik was als tiener, zonder ouders maar met een schat van een oudste zus, twee jongere zusjes en een broer een nogal vervelende meid, die alles wilde hebben wat ze zag. Ik heb het op een gegeven moment mijn hele familie zo moeilijk gemaakt, dat iedereen zowat gillend een andere richting uit is gehold. Kyra wilde ons zielsgraag als familie onder haar vleugels hebben in Het Boshuis, maar ik lag dwars en alle anderen wilden evenmin, omdat ze hun eigen weg al hadden gekozen. Dat was echt een afschuwelijke tijd vol narigheid en verkeerd begrip en we raakten elkaar kwijt. Het kwam weer goed, omdat Merel, toen een klein meisje, ons nestkuiken, alleen op reis ging om te proberen Kyra terug te vinden. Ze verdwaalde... we werden allemaal gek van angst. En toen we onze kleine schat terugvonden was alles vergeven en vergeten. Neen, dat laatste toch niet; we hadden een forse les gehad, ik vooral. Kyra zag ook in, dat we allemaal al ons eigen leven hadden bepaald en ja, toen is Het Boshuis door ons verlaten. Teun had er in haar eentje geen zin meer in het familiepension te blijven beheren; ze was te veel aan ons vijven gehecht."

„Lon, dank je, je had het niet behoeven te vertellen maar ik vind het zo lief van je." Romana sloeg haar arm om de hals van haar tante en kuste haar, er stonden tranen in haar ogen. „Dat van kleine Merel, die haar familie ging zoeken en verdwaalde, ik vind het zo roerend. Ja, en ik ben altijd heel erg dol op jou geweest."
„Ja," zei Lon en lachte op haar speciale manier, waar, volgens haar man niemand tegen op kon. „Je had mijn dochter kunnen zijn als het anders was gelopen, alleen was je dan niet 'die knappe donkere' maar 'die aardige blonde' geweest, denk ik."
„Waar blijven jullie nou?" Kyra kwam de keuken in. „Er wordt echt op die toastjes gewacht. Leuke hulpen zijn jullie!"
„Ja, zus, we komen." Ze grinnikten nog eens tegen elkaar, lichtelijk schuldbewust, en namen allebei een grote kristallen schaal op waarmee ze zich naar binnen haastten. Romana zette de schaal neer en ging op zoek naar Marek, hij kende hier tenslotte nog niemand. Maar dat bleek geen probleem voor hem te zijn, hij was in een druk gesprek met Ingeborg en Thierry gewikkeld. Romana wilde niet storen en overzag vanaf de hoek van het terras de gezellige drukte. Ze had zich nog maar zelden in haar leven zo rijk en gelukkig gevoeld: haar hele familie bij elkaar in Het Boshuis, zelfs haar ouders, wat zo'n grote zeldzaamheid was, en dan, ja, Marek, die in korte tijd zoveel voor haar was gaan betekenen. Wat er dan ook nog zou komen, dit was in ieder geval een gouden dag om nooit meer te vergeten.
„Roma..." Haar moeder kwam naar haar toe, een vleugje duur parfum waaide over.
„Dag, luxe dametje, wat ruik je zalig... Dat is vast geen goedkoop luchtje." Ze leunde even genietend met haar hoofd tegen de schouder van haar moeder. „Weet je wel, dat ik jullie hier zou willen vastbinden? Nog niet aan morgen denken..."
„De mooie uren gaan sneller voorbij als je tegelijk aan morgen denkt... niet doen, meisje, maar wel denken aan een heleboel goede uren die er nog in de toekomst komen... De minder goede uren kan je toch niet voorkomen of tegenhouden. Vaak zie je het verband tussen gebeurtenissen veel later. Had-ik-maar heeft geen waarde, geen zin. Iedereen zegt ooit wel eens: had ik dit of dat maar anders gedaan, en als dat mogelijk was, maakten we prompt weer nieuwe fouten, denk je niet?"
„Heb jij wel eens spijt gehad van een gewichtig besluit?" vroeg Romana en keek min of meer naar haar eigen gezicht, al had dit

niet die wondermooie groene ogen, die toch een heel andere, ongewone uitstraling gaven.
„Neen," antwoordde Merel zonder aarzelen. „Het was destijds wel een zwaar wegende beslissing jou achter te laten, maar beter dan bij Kyra en Michael kon al niet. Ik wist tevoren dat het zou moeten, maar we wilden je zo zielsgraag hebben, vind je dat egoïstisch?"
„Neen, waarom? Ik ben blij met het leven, hoor. Je wist tevoren dat ik een heerlijk thuis zou hebben. Natuurlijk verlang ik altijd naar jullie, maar ik weet dat het bij papa en jou hetzelfde ligt: je zou mij meer bij je willen hebben. In ieder geval is het voor ons drieën telkens weer een echt feest als we elkaar ontmoeten en daar ben ik zo blij om."
„Ha, daar zitten mijn meisjes, verstopt achter een bloembak op het terras!" Alexander, met Marek naast zich kwam tevoorschijn. „Marek werd ongerust, hij dacht blijkbaar dat je er vandoor was."
Dat Marek een gegronde reden had om ongerust te zijn wist niemand behalve Romana en ze knikte Marek geruststellend toe. Hij verveelde zich niet en had het blijkbaar werkelijk naar zijn zin. Waar zou toch dat zusje van hem wonen? Hij was zo ongelooflijk zwijgzaam over de achtergrond van zijn leven en ze vroeg zich af, of hij dat nu zelf niet als storend zou voelen, nu hij zo vanzelfsprekend in haar familiekring werd opgenomen. Ze durfde er na de vorige ervaring ook niet meer naar vragen.
Niet iedereen kon tot zondagavond of maandagochtend blijven en daarom werd het feestelijke diner diezelfde avond gehouden en vermaakten de vele gasten zich de rest van de middag op hun eigen manier. De kinderen wilden nog eens in de postkoets. Sommige gasten wilden nog een paar boodschappen doen of wandelen.
Marek begreep, dat Romana de korte tijd met haar ouders wilde uitbuiten en Alexander stelde voor, samen naar de heuvel te wandelen. Romana vroeg gewetensvol of ze niet moest helpen, maar Teun wenste geen hulp; ze kon het beter alleen met haar staf, zei ze. Ze werd alleen maar nerveus van ongecontroleerd rondlopende hulpjes, die haar draaiboek verstoorden en wenste dat iedereen alsjeblieft keuken en eetzaal wilde vermijden.
Langzaam wandelden Marek met Roma en haar ouders naar de heuvel. „Wat heerlijk is het hier toch!" Merel ging op de bank zitten en wees naar de houten hut in het dal. „Onze hut Alexander, waar wij schuilden voor het onweer, staat er nog altijd."

Er suisde iets rakelings langs haar gezicht en sloeg met een felle tik in de boom achter haar. Op hetzelfde ogenblik trok Marek Romana met zo'n ruk terug, dat ze struikelde; daarna rende hij het bos aan de overzijde in. Ze keken elkaar aan, bevend en doodsbleek.
„Is het goed met je, Merel?" Alexander sloeg zijn arm om zijn vrouw heen. „Dat was een kogel, die je op een haar na miste. Hoe is het met jou, Roma?"
„Niets, ik heb niets. Mama, je had zo voor m'n ogen doodgeschoten kunnen worden... Als Marek me niet weggeslingerd had..."
„Welke idioot loopt hier in de bossen te schieten?" Alexander was razend. „Een of andere idiote jager, neem ik aan. Ik moet er niet aan denken wat er had kunnen gebeuren..."
Marek kwam terug. Ook hij zag wit van schrik en keek met een blik van verstandhouding heel even naar Romana. Ze schudde haar hoofd; niets zeggen begreep hij.
„We gaan onmiddellijk terug naar huis," zei Alexander kortaf. „Dit moet aan de politie gemeld worden. Er loopt daar een of andere gevaarlijke gek rond. Ze moeten het bos maar uitkammen voor er werkelijk ongelukken gebeuren."
Romana's ouders liepen vooruit en ze zei haastig: „Niets vertellen, mama en papa zouden geen rust meer hebben over mij. Laat het voor hen een incident blijven. Als hij mama toch geraakt had..."
Ze kromp ineen en hij voelde hoe de vingers van de hand die hij in de zijne hield, opeens krampachtig om zijn hand knelden. „Ik word nu pas echt bang... niet voor mezelf, maar voor wat er met mijn moeder had kunnen gebeuren. Ze werd op een centimeter na voor mijn ogen neergeschoten en waarschijnlijk was het voor mij bedoeld, maar ik bukte net om een roze kiezelsteentje op te rapen. Waar je je leven aan te danken kunt hebben! Kijk eens!" Ze opende haar hand. Op de palm lag een rond roze steentje.
„Een gelukssteentje, je mag het hebben," ze lachte, toen hij het steentje voorzichtig wegborg in zijn portefeuille.
„Wat zijn jullie vlug terug van de wandeling!" Kyra liep hen tegemoet. „Wat is er gebeurd? Jullie kijken allemaal zo beduusd."
„Maak er niet te veel ophef van, zwijg erover, maar een of andere idioot heeft op ons geschoten en Merel bijna geraakt," zei Alexander haastig. „Kan ik Dirk even spreken? Hij weet bij wie ik

zijn moet. Het gaat er mij om, dat het bos doorzocht wordt voor er ongelukken gebeuren."
Dirk, die door de verschrikte Kyra erbij gehaald werd, was er van overtuigd, dat niemand uit het dorp hier de hand in had.
„Een of andere kwaadaardige buitenstaander. Natuurlijk ga ik mee naar Dekkers."
Alexander en Dirk vertrokken in Dirks wagentje. „En jullie gaan naar binnen en komt niet meer naar buiten," zei Alexander kortaf. Het is moeilijk gewoon te doen als er op je geschoten is maar het lukte, omdat er zoveel drukte en afleiding was. Dirk en Alexander kwamen pas anderhalf uur later terug.
„De kogel zat in de boom maar voetsporen zijn er niet in een droog bladerdek. Misschien een of andere jager dacht ik eerst, maar die schieten met een jachtgeweer, niet met een revolver," fluisterde Alexander Marek in. „Laten we er maar over zwijgen voor we het feest verknoeien."
De eetzaal bood een feestelijk gezicht want Teun verstond haar vak. De deuren naar de grote zitkamer stonden open en juist over de drempel waren lage tafels voor 'de jeugd' gedekt. Het grut vond dat prachtig... een tafel helemaal voor hen.
Aan Merel was niets meer te merken van de opwinding, toen ze beneden kwam in een beige zijden jurkje, met als sieraden de diamanten 'druppels', die ze als achttienjarige met algemene stemmen uit de erfenis van de Boshuis-tante had gekregen. Of ze er nu bij pasten of niet, de gouden schoentjes, die ze als eerste geschenk van Alexander had gekregen, droeg ze altijd. Haar geluksschoentjes zegt ze altijd, dacht Romana. Nu, geluk had ze vandaag in ieder geval gehad. Alexander was ongewoon ernstig; er kon nauwelijks een glimlach af, tot Merel hem fluisterend tot de orde riep.
Kyra was ook nerveus door het gebeurde maar wist zich meesterlijk te beheersen. Halverwege het diner had ze, in overleg met Teun, een pauze ingelast en vroeg het woord.
„Lieve mensen, voor zover het nodig is voor de jongeren, wil ik in het kort vertellen 'hoe het gekomen is'. Het Boshuis is van ons, vijf Daelheyms: van mij, Tina, Lon, Thierry en Merel. We erfden het huis destijds, met alles wat erop en aan was, zelfs met een postkoets, van een oud-tante, Lidia van Dongen, die veel van haar nichtje, onze moeder, heeft gehouden. Omdat mama er niet meer was, kregen haar vijf kinderen alles. Wij besloten, met hulp van Tona, een familiepension van Het Boshuis te maken. Geen

hotel, dat vooral niet. Het moest huiselijk blijven en zo werd het een groot succes. Wat ik wilde, als mijn ideaal zag: de Daelheyms weer als één familie voorgoed in Het Boshuis, ging tenslotte niet door. Het kon niet meer. Ieder had zijn eigen weg gevonden... Maar het Huis bleef jarenlang een echt thuis, toen alles weer goed was. Jarenlang was Het Boshuis voor de hele familie een eldorado, een wijkplaats om je zorgen te vergeten, om bij te komen. Maar ja, Teun zag de eenzaamheid, zonder ons niet meer zo zitten, ze wilde terug naar de stad. Er kwamen geen gasten meer als wij er niet waren, het was geen gezinspension meer. Het verliep allemaal, maar het was en bleef ons huis, ons vakantiehuis, in prima staat, want daarvoor zorgde Dirk, die van jongsaf aan aan Het Boshuis verknocht is met zijn vrouw Rita. Maar de tijd werd anders, eiste veel van iedereen. Aan alle kanten werd aan ons getrokken. Er kwamen jongeren bij, die niet zoveel in Het Boshuis zagen, niet wisten wat het voor ons betekende. Als we al eens samen wilden komen, waren er altijd mensen die niet op die speciale datum konden komen. Het werd een vervelend geharrewar en tenslotte gaven we het maar op. Doodzonde, dat wel. Het begon mij, maar ook mijn zusjes en broer steeds meer te hinderen, dat we met een absoluut onrendabel huis, je kunt wel zeggen een klein kasteel zaten, dat op geen enkele manier tot zijn recht kwam, al deed Dirk nog zo zijn best. Ik heb er toen met mijn mede-eigenaars over gesproken en de conclusie was: Hoe erg we het ook vinden, we moeten het huis dan maar verkopen aan 'Union', die het al jaren als dependance wil hebben. Toen kwam Romana's noodkreet. Dat weten jullie en daarom zijn we allemaal hier. Iedereen kon gelukkig tijd vrij maken, ook onze vrienden van het eerste uur. Voor we hier arriveerden dachten we aan een B.V. Dat kan natuurlijk nog altijd. Maar we hebben alleen maar enthousiasme ontmoet. Iedereen is geschrokken van de eventuele verkoop van Het Boshuis, dat wil niemand. Het kwam natuurlijk ook door de gewone fout, en dat is 'gewoon' de gewone fout van deze tijd: We hebben allemaal zo'n haast! De familiebanden verzwakken... Aardige lui maar je ziet ze nooit, behalve soms, een haastig uurtje op een verjaardag die je niet mag missen. Of als er een ziek is, of gaat trouwen. Maar zo moet het niet. Ik vind het verheugend, dat juist de jongeren vandaag bij mij zijn komen praten met heel goede, uitvoerbare suggesties. Dit is het voorlopig resultaat: Het Boshuis wordt weer geëxploiteerd zoals vroeger: als een familiepension, als wij er niet zijn.

Teun, die snakt naar bezigheden komt hier weer wonen en heeft het oppertoezicht over de keuken. Zij zal Rita verder opleiden. Dirk en Rita worden in de toekomst de directie van Het Boshuis. Beheerders waren ze allang... maar ze zullen ook gastvrouw en gastheer moeten worden en dat willen ze graag. Wij allen, die hier bij elkaar zijn, horen tot de vaste kern, die twee keer per jaar in Het Boshuis een reünie gaat houden. Daar moet op gerekend kunnen worden, al kan er natuurlijk altijd iets tussenkomen, maar als je zolang te voren een datum weet, kun je er bijna altijd je afspraken naar regelen. Ja... en kijk, vandaag zijn we één grote familie, allemaal vol belangstelling voor 'de ander'. Maar dat gaat over, zoals alle enthousiasme sterft en daar moet iets aan worden gedaan. Roel, onze zoon en zoals jullie weten journalist, kwam met het prachtige plan voortaan een driemaandelijkse familiekrant uit te geven. Hij wil wel voor redactielid tekenen en de hele familie- en kennissenkring kan alles wat ze te melden hebben over de familie, iedere gebeurtenis die de moeite waard is en alles is de moeite waard, bij Roel inleveren. Jullie kunt je abonneren op het blaadje. De kosten zijn niet hoog maar het kan niet helemaal kosteloos. Schrijf ook leuke dingen, die je bezig houden, vakantieplannen en belevenissen, examens, verhuizingen natuurlijk, enfin alles, zodat wij weer een echte familie- en vriendenkring worden en wij elkaar kennen bij onze reünie..."
Kyra keek verontwaardigd naar Roel. „Wat zit jij nou te seinen. Hou toch op, je maakt me nerveus," viel ze zichzelf in de rede en iedereen barstte in lachen uit.
„Mijn moeder vergeet nog iets," deelde Roel droogjes mee. „Het is afspraak, dat buiten de twee jaarlijkse reünies, de familie en de kennissen altijd voorrang hebben hier te gaan logeren of weekenden door te brengen, maar... eh... lijkt het jullie dan niet redelijk bij tussendoorlogeerpartijen als gasten eventueel moeten wijken, iets te betalen of vinden jullie dat onredelijk?"
„Dat is juist heel redelijk," zei Perry Finster Verburg. „Anders gaan jullie weer financieel in de fout. Ik zie wel zitten, dat de familietoeloop en de afspraken tussen de onderlinge familie- en kennissenkring, met Het Boshuis als trefpunt een grote vlucht zal gaan nemen en dat kan niet allemaal gratis. Dankzij Romana's vechten voor de goede zaak, geloof ik beslist, dat Het Boshuis en de familie- en vriendenband weer een goede tijd tegemoet gaan en dat krantje is het helemaal natuurlijk. Hoe gaat het krantje heten?"

Daarover ontstond een hevige discussie en Roel beloofde dat het uitgebreide verslag van deze dag het openingsnummer van het krantje zou worden, het krantje dat na veel 'gekakel' zoals Michael het noemde 'Bos-Sprokkels' zou worden genoemd.
„En vergeet niet te vermelden dat onze voogd, oom Joost, een lang telegram heeft gezonden. Hier is het!" Kyra hield het omhoog. „Oom Joost is de voogd geweest van ons, Daelheyms, en zonder hem zou het nooit zijn gelukt met Het Boshuis. Hij is bijna negentig en kon niet komen, maar ik vind het attent van hem dat hij aan ons heeft gedacht, en nu lieve aanwezigen...
Op dat ogenblik stortte in de kamer waar de kinderen tafelden, een deel van de geïmproviseerde tafel met donderend geraas in elkaar. Het was daar allang aardig rumoerig geweest. Teun had al diverse armen geschud en standjes gesist, met tijdelijk resultaat, maar ach... alle lekkere dingen waren op en de grote mensen praatten zo vreselijk lang! Als je dan ook nog hebt moeten beloven, dat je netjes, ja dat vooral, aan tafel zult blijven zitten, tot de grote mensen klaar zijn, dan mislukt dat natuurlijk. De jeugd had elkaar onder veel gegiechel en geplaag zitten duwen. Een van de kinderen wilde een papieren vouwvogeltje onder de tafel opvissen en toen hij weer overeind kwam, bleef de hele tafel op zijn rug hangen.
De ravage was aanzienlijk en het plechtige slot van de zitting in de andere kamer ging verloren in de chaos. Het schuldige kind, Toby Wilreys, werd door mama Gabrielle uit de vernieling gered en Lon nam het blerende kleinkind in bescherming. „Luister eens, hij had de pech dat de tafel op zijn rug bleef hangen maar jullie zijn allemaal stomvervelend geweest, dat heb ik goed gezien en gehoord, dus doen jullie nou maar niet, alsof jullie allemaal zo braaf zijn en Toby alleen ondeugend. Toe nou! Toby is alleen altijd de pechvogel, het arme kind!"
Romana rende de zaal uit en ging in de hal staan lachen, waar Marek, die haar was nagelopen, haar vond.
„Ik kan er niets aan d...oen," stotterde Romana. „Het is net een lachfilm. Die gekke kinderen en Lon met die blatende Toby in haar armen... en die in elkaar gestorte tafel... Maar lachen zullen ze vast niet waarderen, daarom ben ik er maar uitgelopen."
Voor Marek antwoord kon geven rinkelde de telefoon en automatisch strekte Romana haar hand naar het toestel uit.
„Miss Paluda?" vroeg een zijïge mannenstem. „Ik herken je stem direct."

„Met wie spreek ik?" vroeg Romana kortaf.
De stem bediende zich van slecht Engels en Romana ging meteen over in vlekkeloos gesproken Engels. „Wat wilt u toch van mij? Laat me met rust!"
„Vanmiddag was het een waarschuwing. Je moet je mond houden." Het klonk zo kil, zo dreigend, dat Romana het gevoel had, alsof ze een gladde, koude slang onverwachts aanraakte. „Het had met gemak raak kunnen zijn, snap je?"
„Maar waarom dan? Wat wilt u toch. Zeg dat dan, zeg het!" Ze voelde dat Marek zijn arm heel stevig om haar heen sloeg, zijn gezicht tegen het hare legde om te kunnen meeluisteren.
„Doelloos de vliegroute te wisselen," ging de giftige stem spottend verder, met negeren van Romana's vragen. Toen werd het gesprek verbroken.
„Ik houd dit niet meer uit, ik word er gek van!" fluisterde Romana; ze draaide zich om in Mareks armen en verborg haar gloeiende gezicht tegen zijn schouder. „Die man is gestoord. Ik ken hem niet eens... Laten we naar de politie gaan, Marek."
„Neen, dat doen we niet, Roma." Hij wreef alsmaar kalmerend over haar rug. „Je trilt als een espeblaadje. Ik kan me indenken, dat je doodsbang bent... wie zou dat niet zijn?"
„Allemaal loze woorden. Jij weet meer. Het gaat zo niet langer, Marek!" Ze was een beetje tot zichzelf gekomen en probeerde zich uit zijn armen los te maken. „Ik wil niet dreigen, maar als jij me niet vertelt wat hierachter zit, stap ik in mijn auto en rijd naar huis, om daar met de politie uitgebreid te gaan praten. Ik laat me niet langer bedreigen door een of andere gestoorde, zonder tenminste te proberen iets terug te doen. Het kan echt niet langer, Marek. Ik zal blij zijn als mama en papa veilig weg zijn. Zeg er alsjeblieft niets over, Marek... beloof me dat."
„Ik beloof het. Hij duwde haar hoofd achterover en kuste haar op haar mond, een vlugge maar heel tedere kus. „Houd moed, schat, samen komen we er wel doorheen. Wat ik weet zal ik je vertellen... morgen... niet nu."
Lon kwam de hal in en begon te lachen. „Welja, wij allemaal in paniek om die malle kinderen en iedereen ruimen... maar jullie staan hier genoeglijk te knuffelen met je hoofd in de wolken. Nou ja, gelijk hebben jullie, ik ben ook jong geweest."
Als je eens wist hoe mijlenver je ernaast zit, dacht Romana somber. „Ja, ik vind het zalig bij Marek te zijn maar waarom moet dat meteen verknoeid worden. Je zal maar verliefd zijn onder zulke

ellendige omstandigheden... en ik ben zo ongerust over hem, over mijn ouders en een beetje over mezelf. Geluk is altijd maar een vleugje... een droom... niets blijft..."
„Kom, we gaan naar je ouders, Romana. Morgenmiddag zijn ze weer weg en het is niet leuk als ze je zo weinig zien." Marek knikte tegen Lon en bracht Romana naar binnen. „Ze moeten niet denken, dat je minder aandacht voor hen hebt omdat ik er nu ben. Bovendien zijn ze daar op de heuvel ook geschrokken."
Hij had dat heel goed gezien, want Merel zat een beetje buiten het gewoel in de serre met Alexanders arm om haar heen.
„Zo, parkietjes!" zei Romana opgewekt. „Ik zocht jullie."
„Mama heeft een beetje hoofdpijn. Geen wonder. Daarom zitten we even rustig hier." Alexander schoof een stoel dichterbij. „Kom er bij zitten, meisje. Mama vroeg juist naar je."
„Geniet maar rustig van elkaars gezelschap." Mareks stem klonk warm en hartelijk. „Ik ga eens met Roel praten over het krantje, dat lijkt me zo interessant en een heel gelukkige inval... tot straks !"
„Gelukgewenst met je keus, kind. Ik geloof, dat je het niet slecht hebt uitgezocht." Merels waardering was spontaan: „Ik geloof, dat Marek iemand is die rekening met anderen weet te houden; dat blijkt wel. Hij ziet er ook nog leuk uit, vlot en sportief. Dat is dan mooi meegenomen. Wees maar zuinig op hem."
Romana keek vragend naar haar vader. „Denk jij er ook zo over?"
„Mama is een goede psychologe. Ja, ik mag die Marek. Hou je van hem?"
„Ja." Romana's antwoord kwam snel en overtuigend. „Ja, ik houd van hem, geen twijfel mogelijk. Het is Marek. Hij, of niemand. Dat klinkt misschien overdreven maar zo voel ik het toch."
Natuurlijk kwam daarna de gevreesde vraag: Wat doet Marek voor werk? Ze had liever niet gejokt maar ze wist niet anders; dus kwam ze met het verhaal over de Bank waar Marek werkte. Dat klonk altijd goed en ze kon er ook niets aan doen, dat ze niet beter wist. Ze kon toch moeilijk beweren, dat ze totaal niets van Mareks achtergrond wist want dan ging beslist de alarmbel rinkelen, ondanks hun sympathie voor Marek. Het weekend op Het Boshuis werd een doorslaand succes; de familie en de vrienden hadden elkaar weergevonden en als het grootste deel van de kring zich aan de afspraken hield, kon er niet gauw weer zo'n onderkoelde toestand ontstaan. Bovendien was iedereen zo enthousiast voor het krantje 'Bos-Sprokkels' dat Roel tevreden de

opmerking maakte, dat, als iedereen zo uitgebreid zou gaan schrijven en insturen als men nu van plan was, hij er beter een maandelijkse krant van kon maken in plaats van een kwartaal periodiekje. Hij had het druk gehad met het noteren van de abonnementen. Het liep allemaal gesmeerd die avond in Het Boshuis.
„Dankzij jouw plan en doorzettingsvermogen, Romana," zei Michael van Donckeren in een kleine toespraak aan het eind van de avond.
„Ik weet zeker dat iedereen Romana graag mag, maar er zijn vijf mensen die daar nog een schepje bovenop doen: Je ouders, je pleegouders en Marek, neem ik aan, zijn heel blij met je en heel trots op je. Lieve Romana, op jouw gezondheid en geluk en op de familie, waar Kyra altijd voor gevochten heeft om ze bij elkaar te houden..."
De champagneglazen werden geheven. Dirk, de nieuwe gastheer, stond er stil en een beetje afwezig bij. Zijn gedachten gingen tientallen jaren terug... een kleine jongen op de bok van de postkoets, ongelooflijk trots omdat hij de posthoorn mocht blazen en naast hem Bas Lom, de oude tuinman, die tien jaar geleden was gestorven. Die kleine Dirk uit het dorp had het aardig ver geschopt en Teun zag eruit, alsof ze eindelijk was thuisgekomen, bereid opnieuw de teugels in handen te nemen en bij te sturen waar het misschien voor Rita nog wat moeilijk zou zijn. Ze zou dat tactvol doen, zoals ze destijds Kyra had geholpen, toen Het Boshuis familiepension werd.
Lons ogen gleden langs de gezichten van de mensen die haar lief waren. Ze had nooit spijt gehad van haar huwelijk met Oscar Marting en Merel haar geluk nooit benijd, maar ze had wel door de jaren heen een bijzonder plaatsje in haar hart gehouden voor Alexander, die eens haar grote liefde was geweest. Alexander, op zijn beurt, had ook altijd een diepe sympathie voor Lon gekoesterd. Dat waren gevoelens die niet uit te roeien waren die door alle partijen werden gerespecteerd.
„Ik vind je toch zo indrukwekkend, broertje," fluisterde Tina de schout-bij-nacht toe, waarop Ingeborg precies reageerde zoals ze dat altijd had gedaan en zou blijven doen: „Ja? Lieve Tina, je zou hem eens moeten horen als hij met zijn zeilboot bezig is en zijn vingers klemt. Dit gebeurde vorige week. Werkelijk heel indrukwekkend, hoor... maar zijn afgrijselijke woordkeus daargelaten... is ie verder wel lief."

Tina keek verbouwereerd en Ian glimlachte vriendelijk en begrijpend. Ushi Wilreys, de dochter van Gabrielle Marting en Andre Wilreys was veel met haar ouders in het buitenland geweest en had de familie niet zo vaak ontmoet. Ingeborg Daelheym, geboren freule van de Meylinghe zag ze voor de derde keer en Ushi had nu de tienerleeftijd bereikt, zodat alles wat ze meemaakte diepe indruk achterliet. Ze zat voortdurend in Ingeborgs richting te staren en vroeg zachtjes aan haar vader: „Is tante Ingeborg echt van adel? Zo ziet ze er helemaal niet uit... niet stijf of zo, niet... eh... deftig. Ik vind 'r een jolig type." Andre Wilreys die een vakgesprek met de zangeres Ilona Damar hield, keek een tikje wazig naar zijn dochter.
„Ja... eh... ik geloof wel dat ze van adel is. Vraag het maar aan mama, schat, ik heb nou even geen tijd."
De schat kon die raad moeilijk opvolgen omdat mama Gabrielle toevallig met Ingeborg in druk gesprek gewikkeld was. Dus gaf Ushi het voorlopig maar op. De adel had haar een beetje teleurgesteld. Ingeborg was leuk en gezellig maar voor Ushi niet statig genoeg. Merel was haar inzinking te boven en straalde naar alle kanten als een sterretje... voor het eerst in al die jaren een avond in de kring van haar voltallige familie. Tot slot van de avond maakte Alexander een doodgewone, niet artistieke groepsfoto van de hele familie en vriendenkring, die met een massa lawaai, gelach, gegiechel en gesjouw tot stand kwam en later volgens Merel, de meest geslaagde en gezelligste foto was, die Alexander Paluda, topfotograaf, ooit had gemaakt.
Van het incident op de Bosheuvel wisten gelukkig maar weinig mensen. De volgende dag, in de namiddag, vertrok het gezelschap naar alle windstreken.
Merel en Alexander werden door Romana en Marek regelrecht naar Schiphol gebracht, op weg naar Wenen.
„Ik voel me altijd zo leeg. De wereld is opeens leeg," fluisterde Romana nadat ze haar ouders met tranen in haar ogen had uitgezwaaid.
„Ja, ik begrijp het. Je weet nog niet hoe goed," zei Marek zacht. Hij pakte haar hand in de zijne en zo nam hij haar mee. Onderwijl hield hij de omgeving in het oog.
Hij wist, dat Romana na het lange verlof over drie dagen weer weg moest en hij bracht haar thuis.
„Ik kom je morgenmiddag halen. Dan gaan we naar mijn zusje en later... kunnen we praten. Is dat goed? Hij nam haar gezicht tus-

sen zijn handen en hief het op. „Beloof me, dat je niet alleen uitgaat. Deze zaak moet eerst opgelost zijn... Pas als dat gebeurd is, wil ik praten over ons, over jou en mij, en wat je voor me bent gaan betekenen. Geloof me, dat is heel veel... ongelooflijk veel."
Hij kuste haar wel, maar het gebaar had nog steeds iets dat Romana niet kon verklaren... vluchtig, heel lief en teder, maar toch niet zoals ze het zou wensen; het had iets alsof ze een geliefd zusje was.
„Het zal wel goed komen," zei ze een beetje treurig. „Ik wil zoveel begrijpen maar tot nu toe gaf je me de kans niet. Tot morgen dan, Marek." Ze keerde zich om en liep naar binnen zonder om te kijken.

HOOFDSTUK 7

„Het is vreemd weer aan het gewone leven van alledag te moeten wennen," verzuchtte Kyra; ze zat zonder enthousiasme aan de verlaten ontbijttafel, toen Romana binnenkwam. „We hebben het de laatste tijd zo druk gehad met voorbereidingen, er was van alles te doen. Het is alsof je opeens in een groot gat valt. Het was zaterdag allemaal zo feestelijk, gisteren begon de aftakeling al maar ach, wat geeft het. We hebben bereikt wat we wilden en daar gaat het om. Koffie of thee, Romana?"
„Koffie," mompelde Romana; ze zette zich aan tafel en geeuwde. „Feesten is prima, maar zelfs al drink je helemaal niets, dan voel je je nog de dag erna afgedraaid. De opwinding is voorbij, het gewone leven wenkt... brrrr... Ik heb geen zin, jij wel?"
„Nee. Jakkes, Roma, schei uit met dat gegeeuw, je steekt me aan. We zijn het schoolvoorbeeld van twee zeurende vrouwen na het feest. Eerlijk gezegd geloof ik niet, dat het daardoor komt, maar door dat voorval waarover terwille van de rust en de sfeer niet gepraat mocht worden."
Romana keek fronsend naar de beschuit, die Kyra op haar bord had gelegd. „Er valt verder ook niets over te zeggen, het is gewoon gebeurd," zei ze kribbig.
„Ja, zeker, net als dat gekke telefoontje voor jou een paar weken geleden. Je denkt toch niet, dat ik achterloop? Ik bemoei me niet met jouw zaken maar dit is wel iets anders." Kyra kreeg een kleur van boosheid en opwinding.
„Ja, nou... we hebben het toch aan de politie in Boshegge opge-

geven, maar wat kan zo'n veldwachter er verder mee doen? Het bos doorzoeken? Er was niemand te vinden, natuurlijk niet. Wat wil je dan verder, Kyra? Doe niet zo stom!" Romana werd ongeduldig.
„En kijk jij een beetje uit, je hebt het niet tegen een collega," snibde Kyra hooghartig terug. „Als er iemand stom doet, ben jij het."
„Welja, nou, de groeten, hoor!" Romana schoof haar stoel achteruit en liep kwaad naar boven, waar ze de deur van haar kamer tamelijk stevig in het slot gooide.
Ze kwam niet meer naar beneden en om halfelf ging Kyra naarboven met koffie en cake.
„Een zoenoffer," zei ze en zette het blad op Romana's bureau. „We hebben allebei erg kinderachtig gedaan. We hebben nooit echt gekibbeld en ik voel er niets voor, daar nu nog mee te beginnen. Het spijt me, Roma."
„Ja, het spijt mij ook. Ik had ook inderdaad niet zo'n grote mond op moeten zetten," gaf Romana gretig toe. „We praten er niet meer over." Dat had Kyra juist wel gewild, nu Romana milder was gestemd. Dat was een vergissing, want Romana wilde er geen woord meer over kwijt en dat ergerde Kyra weer, zodat de stemming gespannen bleef. „Ik ga een paar uurtjes weg, hoor," deelde ze mee. „Boodschappen doen en een ziekenbezoekje afleggen. Ik weet niet wat jij van plan bent?"
„Thuis blijven en wachten tot Marek komt. We zouden naar zijn zusje gaan, maar ik weet niet waar dat meisje woont. Ik weet niets. Ik weet niet eens wanneer Marek komt, dus vraag me alsjeblieft niets." Romana keek zo kwaad naar haar tante, dat deze alleen maar haar schouders optrok en de deur achter zich sloot; niets mee te beginnen! Ze had Romana nog nooit zo moeilijk meegemaakt; de liefde had ook al geen louterende invloed!
Om twaalf uur belde Marek op. Hij wilde Romana komen halen, ergens in de stad lunchen en daarna naar zijn zusje gaan. Zijn stem klonk niet opgewekt, eerder formeel.
„Dat is goed, maar alsjeblieft alleen als je er werkelijk zin in hebt," stelde Romana als voorwaarde.
„Waarom zeg je dat?" vroeg Marek. „Natuurlijk wil ik het graag."
„O, nou, dat is dan in orde. Zie je, er hangt vandaag beslist een schaduw over alles en iedereen. Kyra deed kribbig, ik deed vervelend en jij klinkt ook niet vrolijk." Ze zuchtte ongeduldig. „Ga er maar niet op in, dat helpt toch niet. Tot straks dan, Marek."

Dat de schaduw een verduisterende onweerswolk zou worden wist ze toen nog niet.
Marek was niet in een al te goede stemming, dat zag ze meteen. Vriendelijk en voorkomend maar ook erg afwezig, alsof ze meer een plicht dan een genoegen voor hem betekende; zo kwam Marek op Romana over en ze begon zich af te vragen, wat iedereen vandaag toch mankeerde?
„Wat doen we?" vroeg ze geduldig. „Gaan we in de stad eten of gaan we eerst naar je zusje?"
„Misschien is het verstandiger als we eerst naar Marjory gaan," Marek keek haar even aan en glimlachte moeizaam.
„Waar woont ze dan?" vroeg Romana. „Ver weg of hier, in de stad?"
„In het ziekenhuis," zei hij kort.
„In het ziekenhuis?" herhaalde Romana verbaasd. „Maar waarom heb je dat dan niet meteen gezegd?"
„Vraag nou niet zoveel, Romana. Wacht maar af."
Romana zweeg. Ze voelde zich onzeker en vreemd, alsof ze Marek niet kende en tegen een heel gesloten, zelfs vijandige vreemde praatte.
„Dit is toch niet de weg naar het ziekenhuis?" vroeg Romana, niet op haar gemak. „Je kunt nu wel zeggen, dat ik niets mag vragen..."
„We zijn er bijna. Marjory ligt in een privékliniek."
Ze reden het parkeerterrein op van een groot wit huis aan de stadsrand. Romana's hart klopte zo hard en vlug, dat ze naar adem snakte. Wat was er met Marjory? Een vriendelijk meisje in wit uniform knikte hen toe. Marek behoefde niets te vragen. Hij was hier kennelijk thuis en liep de brede trap op. Daarna kwamen ze op een brede gang met grote ramen en achter in die gang opende Marek een deur.
„Kom maar verder, Romana," zei hij zacht.
Romana was zo nerveus, dat ze een verwarde indruk kreeg van een grote kamer in getemperd licht. De zonnegordijnen stonden half open. Ze dacht dat de kamer leeg was, maar aan de linker kant stond een bed en nooit vergat Romana die eerste indruk. Daar lag Marjory, een blond, tenger sneeuwwitje, onbeweeglijk en met gesloten ogen. Lang blond haar kroesde in twee dikke vlechten aan beide zijden van het smalle gezichtje. Een schitterend geborduurde sprei bedekte haar.
Romana stond onbeweeglijk naar het meisje te kijken. Marjory

lag in coma, daaraan kon geen mens twijfelen.
„Marjory!" Met oneindige tederheid in zijn stem en in zijn ogen boog Marek zich over zijn zusje. „Hier is Marek... Marjory... Marjory!"
Hij legde zijn hand op haar voorhoofd, zo voorzichtig dat het Romana door de ziel sneed.
Hoever was het onwerkelijk tere wezentje weg van de wereld... wat wist ze... wat hoorde ze... Geen mens wist het, geen mens kon het weten.
Marek keek op en legde zijn vinger op zijn mond. Zeg niets, wilde hij laten weten, want je weet niet, wat een comapatiënt hoort of voelt... zonder zelf ook maar een beweging, hoe klein ook, als teken van leven te kunnen geven. Marek wilde in ieder geval niet, dat iemand aan het bed van zijn zusje negatieve opmerkingen maakte.
„Wat is ze lief, en zo teer!" fluisterde Romana en langzaam liepen de tranen over haar gezicht. Ze had een comapatiënt altijd diep tragisch gevonden en ze herinnerde zich, dat ze kort geleden een arts heel triest over dat onderwerp had horen zeggen: „Coma is een verschrikking voor de familieleden, want de mens die ze liefhebben is er, zonder er te zijn, is nooit meer bereikbaar. een onbegraven dode."
Aan het bed van Marjory zat Marek en praatte tegen haar, streek over het blonde haar en praatte maar door, alsof ze alles hoorde. „Weet je nog, Marjory, hoe mooi je die muziek vond? Je moet er maar heel veel naar luisteren." Hij drukte een knopje aan de muur in en zacht golfde muziek de stille kamer binnen. Op Romana kwam die melodie, 'Sleepy shores' die haar voorgoed alleen aan Marjory zou blijven herinneren, net zo dromerig, net zo onwerkelijk over als het meisje in het bed, dat niet meer van deze wereld was. Marek praatte maar tegen haar, praatte maar alsof ze ieder woord verstaan kon. Het deed Romana zo intens pijn, dat ze het niet langer verdragen kon en zachtjes de kamer verliet om Marek niet te storen. In de gang viel Romana op een bank neer en huilde met haar gezicht in haar handen verborgen, tot kort daarop of veel later, ze wist het niet, Marek bij haar was en ze een troostende arm om haar schouders voelde. Marek trok haar hoofd tegen zich aan en met zijn gezicht tegen haar gebogen hoofd fluisterde hij: „Ik kan niet huilen, ik heb het nooit gekund. Was het maar waar, maar nou zou ik, samen met jou, willen huilen. Neem het me niet kwalijk, Romana, dat ik je er zo

onverwachts mee heb geconfronteerd. Je bent de eerste en enige die ik ooit bij haar heb gelaten. Ik kan het niet verwerken... het komt nooit meer goed, dat weet ik zeker."
Weten we ooit iets zeker? Ze had zo'n intens, overstelpend verlangen hem te troosten maar woorden schoten te kort en konden niet helpen. Ze wilde en durfde verder niets te vragen. Ze bleven gewoon zo maar een tijd zitten met de armen om elkaar heen.
„Kom, we gaan," zei Marek tenslotte, veegde met zijn hand een traan van haar wang en glimlachte heel warm en teder. „Ik zag hier tegenop maar ik ben zo blij dat je haar hebt gezien. Ik zal m'n hele leven... of zo lang als haar leven duurt, en dat kan heel lang zijn, voor haar zorgen. Dat kan een zware belasting worden voor lieve mensen, waarmee ik mijn leven zou willen delen. Misschien kom ik daardoor erg afstandelijk over. Ik ben gebonden aan mijn zusje, dat nooit meer wakker zal worden... en je kunt van niemand vragen zo'n last met je te delen."
„Dat weet je niet voor je het gevraagd hebt. Het is toch vanzelfsprekend dat je voor haar blijft zorgen." Ze liepen hand in hand naarbuiten, de zonnige wereld tegemoet, waar iedereen liep en bewoog. Het kwam Romana opeens zo vreemd voor. De hele wereld leek in nauwelijks een uur te zijn veranderd. Ze kon het beeld niet kwijtraken van die grote kamer in het gedempte licht... Marjory... en de muziek van 'Sleepy shores' en Marek... die daar maar naast dat bed zat en praatte... praatte... lief... zacht... smekend... haar naam zei „Marjory"... op een heel speciale manier... maar nooit antwoord zou krijgen. Ja, Marjory zou, ongeweten, altijd de grootste plaats in Mareks leven innemen en wie niet met die wetenschap zou kunnen leven, moest Marek met rust laten. Maar ze wist nog lang niet alles.
Ze zouden ergens gaan lunchen maar Romana wilde dat niet. Ze was niet in de juiste stemming om in een gezellig restaurant vol babbelende mensen over Marjory te praten. Ze wist dat Marek dat wilde, nu ze eindelijk met dit belangrijke deel van zijn leven had mogen kennismaken. „We kunnen daar in het park bij de vijver gaan zitten," stelde ze voor. „Het is er altijd rustig, zeker op deze tijd van de dag."
Het kleine park lag dicht bij het huis van Kyra en Michael. Ze hielden allemaal van het kleine, verscholen park met de eendenvijver en een rustieke bank in de beschermende boog van dicht groeiende struiken. „Marek, laten we er over praten. Jij moet praten want ik weet dat je met een enorme onverwerkte geschiede-

nis van leed en ellende rondloopt. Zo is het toch, Marek?" vroeg Romana dringend. „Je weet er geen raad mee, hè? Samen kun je meer dragen. Alles wat je uitpraat, desnoods opschrijft, maakt een last lichter. Heus waar, Marek..."
Ze zaten die voorjaarsmiddag lang samen op de bank aan de vijver en de zon scheen al warm. Romana wachtte geduldig tot Marek zou gaan praten maar hij kon de drempel niet nemen zonder hulp.
„Hoe lang ligt Marjory al in coma?" vroeg ze tenslotte en Marek schrok op uit zijn weinig vrolijke gepeins.
„Ruim een jaar. Mijn vader werkte op de Nederlandse Ambassade in Italië. Ik was natuurlijk allang niet meer thuis maar mijn zusje groeide in Rome op. Op een nieuwjaarsreceptie zag een zekere Juan Montez, hij komt uit Brazilë, Marjory in gezelschap van haar ouders. Marjory was net achttien jaar geworden en zag er leuk uit, met haar helderblauwe ogen en blonde haren. Het type waar latijnse mannen op vallen. Marjory had natuurlijk meteen door, dat Montez om haar heen draaide, maar in haar ogen was hij een oude man, vijfentwintig jaar ouder dan zij en bovendien mocht ze hem niet. Hij was opdringerig en er waren zoveel jonge, sportieve knapen van haar eigen leeftijd, die belangstelling voor haar hadden. Het duurde niet lang of ze struikelde letterlijk, overal waar ze kwam, over die ellendige Montez. Ze werd er zenuwachtig van en kreeg huilbuien, zo opgejaagd voelde ze zich. Ik zou met mijn ouders en Marjory de paasvakantie in Wenen gaan doorbrengen en toen ik in Rome arriveerde, waren mijn ouders nogal geïrriteerd door het gedrag van Montez. Marjory zag het echt helemaal niet meer zitten. Ze wilde gewoon gezellig en onbezwaard uit kunnen gaan met haar vrienden en vriendinnen, maar die Montez dramde maar door, op zo'n geniepige, moordende manier. Ja, toen heb ik met 'm gesproken, gezegd, op heel rustige, zelfs beleefde wijze, dat mijn zusje toch veel te jong en te speels was voor een oudere man en dat ze hem ook helemaal niet wilde en gewoon met rust wenste te worden gelaten. Het werd echt te gek, wat hij allemaal bedacht om haar dwars te zitten. Omdat Montez zich ook in diplomatieke kringen bewoog, vonden we het beter, het mijn vader niet te laten opknappen omdat er zo gauw een rel ontstaat en dat kun je gewoon niet hebben. Montez was tegen mij wel griezelig beleefd maar er was iets in zijn ogen, iets waarvan ik een afkeer had... huiverde. Hij zei, dat hij van Marjory hield en toch het recht had te proberen haar te ver-

overen. Ik werd kwaad, zei dat hij die grens al was gepasseerd en het recht niet meer had, omdat Marjory duidelijk had laten blijken, dat ze niets van hem wilde weten." Marek zweeg en draaide zijn hoofd af. Romana nam zijn hand tussen allebei haar handen, met een liefkozend, koesterend gebaar.
„Als je niet verder kunt..." begon ze zachtjes. „Het pakt je te veel aan, ik zie het. Toe, Marek, het spijt me nu, dat ik je bijna heb gedwongen te praten."
„Neen, Romana, ik wil het wel vertellen. Ik heb er nog nooit over gepraat, behalve met een vriend, ja, maar verder... Wel, ik zei toch, over die paasvakantie... We zouden met mijn wagen gaan. Mijn vader had een drukke tijd achter de rug en was pas hersteld van een lichte longontsteking, rijden was voor hem nog te vermoeiend. Voor mij was het niet bezwarend, dus vertrokken we echt in vakantiestemming. Marjory was zo opgelucht, zo vrolijk, omdat ze eindelijk van die Montez verlost was. Ik kan er niet tegen het allemaal heel uitgebreid te vertellen, nog steeds niet. Maar Montez wist, op de een of andere manier, dat we weggingen en het is natuurlijk niet moeilijk dat te weten te komen. In ieder geval is hij ons met die zware wagen van hem achterop gereden en heeft mijn wagen van de weg gedrukt, het ravijn in... Er was geen redden aan, ik rijd heus heel goed, maar tegen die wagen, neen. De huichelaar hield later bij hoog en bij laag vol, dat het zuiver een ongeluk is geweest. Hij zag ons, zijn kennissen, rijden en wilde ons inhalen, maar ik begon opeens zulke vreemde capriolen uit te halen... het moest wel verkeerd gaan en daarom reed hij tegen ons op; met minder geluk van zijn kant was hij ook nog het ravijn in gegaan. Zo luidde zijn lezing. Het was zijn verhaal tegen het mijne... Hij won."
Het bleef lang stil. Romana probeerde het te verwerken, en ze zei tenslotte aarzelend: „Maar... jullie waren met z'n vieren. Wil je zeggen, dat..."
„Ja, dat is de waarheid, Romana. Mijn ouders hebben het ongeluk geen van beiden overleefd. Hoe Marjory er aan toe is, heb je gezien... ik ben de enige die het er goed heeft afgebracht. Wat ontvellingen, een gebroken arm, verder niets. Laat me daar alsjeblieft niet te lang over praten, dat kan ik niet. En wat Montez betreft, die is het verpersoonlijkte gevaar en verdorvenheid. Hij spioneert voor de hoogste bieder, wie dat dan ook mag zijn. Ik weet niet of hij er van op de hoogte is, dat ik beroepshalve op zijn spoor zit... Ik werk namelijk niet bij een Bank, wat je toch al niet

geloofde, maar bij de Binnenlandse Veiligheidsdienst. Ik denk niet, dat hij dat weet. Hij had al reden genoeg om te schrikken bij mijn verschijnen, wegens zijn roetzwarte geweten of, dat heeft hij niet eens, dat ontbreekt bij dat monster. In ieder geval schrok hij toen hij mij in het vliegtuig zag opduiken. Toen voerde hij direct daarop die komedie op, want dat was het, een afleidingsmanoeuvre, zoals hij de heleboel op stelten zette en jou om de hals viel. Mensen als ik gaan onder in de grauwe massa, ze vertellen uiteraard liever niet waar ze werken. Met Montez kun je niets peilen. Wat weet hij, wat weet hij niet? Ik ben bang dat hij altijd meer weet dan gezond is. Vanzelfsprekend gaat hij mij liever uit de weg. Ik kan jou nu tenminste ronduit vragen: Romana, denk eens heel scherp na: heeft hij jou niets in handen gespeeld, een boekje... een folder, of heeft hij iets gezegd, dat je absoluut niet kunt plaatsen... Jij weet iets, wat hij wil weten of jij hebt iets, wat hij wil hebben en daardoor ben je in gevaar. Het kan een kleinigheid zijn en ik heb me werkelijk suf gepiekerd..."

„Neen, ik weet niets, hij heeft me niets in handen gegeven, ook niets om voor hem te bewaren. Ik heb gewoon al die papieren van hem bijeen geschoffeld en er is geen snipper blijven liggen, dat weet ik zeker, Marek." Romana streek zich over het gezicht, dat heel strak aanvoelde. Het was echt allemaal te veel om zo maar even te verwerken, dit bijna monotone, eenvoudig vertelde verhaal.

„Ik vind het allemaal verschrikkelijk maar ik weet in ieder geval heel zeker, dat er geen aanknopingspunten zijn tussen mij en die misdadiger... heus niet, Marek."

„Dan zou het moeten zijn dat hij jou niet in mijn omgeving wil. Ik weet dat hij bang voor me is en het is natuurlijk ook niet best voor hem, dat jij via mij veel over hem te weten komt. Hij maakt in ieder geval voortdurend gebruik van de luchtlijnen, maar het lijkt me wel erg ver gezocht. Het is zo moeilijk je te beschermen, omdat je altijd volop te bereiken bent. Zelfs als je in je auto op de dienstweg rijdt, probeert hij je van de weg te drukken." Hij zweeg even en voegde er dan bitter aan toe: „Daar is hij goed in, zoals je nu weet!"

„Ja, het is ontzettend," zei Romana zachtjes. „Intussen ben ik er wel van overtuigd, dat hij mij om de een of andere reden wil raken, die misdadiger, die jullie hele gezin heeft gebroken en zomaar vrij rondloopt... na een ongeluk nog wel!!"

Romana's stem beefde van onmachtige woede. „Ik vraag me wel

eens meer af, hoeveel zogenaamde 'ongelukken' in werkelijkheid misdaden zijn."
„Ja, maar mijn grootste zorg is het momenteel jou uit handen van Montez te houden, Romana... Ik houd van je, al durf ik bijna niet meer van een mens te houden, het loopt altijd verkeerd af... Ik ben eerder een gevaar voor je en durf me niet te binden, zeker nu niet. Kun je dat begrijpen?"
Het duurde lang voor Romana antwoord gaf. Haar stem klonk zacht en aarzelend, alsof ze nadacht over de woorden die ze voorzichtig uitsprak: „Ja, ik denk tenminste, dat ik het begrijp. Je hebt de schok nog niet verwerkt van al dat vreselijke dat je is overkomen. Dat heeft tijd nodig. Je bent nog niet toe aan... aan mij. Ik ben eigenlijk in jouw leven gekomen, toen je dat nog helemaal niet wilde, dus tegen wil en dank. Het oude met al dat verdriet is nog niet afgesloten. Dat kan ook niet omdat Marjory er is, zoals ze is. Beroepshalve zit je achter Montez aan en het moet heel moeilijk zijn dan min of meer 'zakelijk' je werk te doen... eerlijk, ook tegenover dat monster... Niet wraakzuchtig op hem inhakken... zoeken naar werkelijke bewijzen... voorzichtig je weg zoeken... terwijl er intussen dan weer zulke afschuwelijke dingen gebeuren. Je zoekt... je zoekt echt naar wat hem drijft. Niet om hem te sparen, maar omdat je je werk wilt afmaken op de manier die van je wordt verwacht... waarvoor ze je hebben ingezet. Het lijkt me vreselijk, bijna onmenselijk, met jouw voorgeschiedenis. Als het zo is, als ik het goed zie, dan wil ik het je niet moeilijk maken. Dan moeten we voorlopig zoveel mogelijk afstand van elkaar nemen... hoe erg ik het ook vind. Misschien helpt het je toch als ik je zeg, dat ik... dat ik met heel m'n hart van je houd en dat ik met alles helemaal achter je sta... ook met... met Marjory. Als het ons vergund wordt later voorgoed bij elkaar te zijn, dan zal ik van Marjory houden, zoals jij van haar houdt. Ze zal... o, Marek toch..."
Ze huilde en Marek trok haar heel vast tegen zich aan en kuste haar eerst teder, daarna inniger en toen voor het eerst jong en verliefd opgaand in het ogenblik, dat hij vanaf de eerste minuut in het vliegtuig had gewenst... Romana in zijn armen, de fluweeldonkere ogen zo dicht bij de zijne, het zachte donkere haar tegen zijn gezicht... warme, zachte lippen tegen de zijne... heel gewoon even gelukkig zijn na een donkere periode, het licht weer zien na de eindeloos lijkende donkere tunnel... „Je bent lief, Roma... zo lief, omdat je zoveel begrijpt. Ik houd van je om

alles wat je bent... niet alleen omdat je mooi bent... veel meer omdat je... JIJ bent en ik wil vechten om gelukkig met jou... en met jou alleen te worden... als deze plaag voorbij is. Zie je, het moet allemaal zo omzichtig gebeuren, want je kunt iemand met de papieren van een diplomaat niet zo maar in zijn nekvel grijpen... Het is op verzoek van de BVD, dat jouw diensten snel gewijzigd worden. Als dat nodig is kunnen zij wel zoiets verzoeken als het om jouw leven gaat en men hun enig inzicht geeft, in wat er gaande is... en waarvan dus nooit iets naar buiten zal komen. Vraag er dus ook niet meer naar. Hou je ogen en oren goed open en blijf zoveel mogelijk te midden van andere mensen, kies geen eenzame plaatsen om te gaan wandelen of winkelen. Zodra ik weet, wat hij van je wil, komen we verder, maar nogmaals: ik kan plannen van hogerhand niet doorkruisen door een zogenaamde 'diplomaat' voor mijn privézaken te pakken voor ik de bewijzen van zijn andere aktiviteiten in handen heb en hij is zo glibberig als een aal. Het klinkt keihard, maar kun je dat begrijpen, meisje?"
„Ja... zeker," zei ze na enig nadenken. „Bedoel je het zo: Hij kan wel bezig zijn met iets, dat zo gevaarlijk is dat het een groot aantal mensenlevens zou kunnen kosten... dat zal hem een zorg zijn, als je nagaat wat hij al op zijn geweten heeft. Ik begrijp het heel goed en ik meende het, toen ik zei, dat ik met je wil meewerken. Het gaat niet alleen om mijn veiligheid, hoe dierbaar me die ook is, maar jij hebt op deze manier ook geen normaal leven meer. Als je zulk werk doet is het natuurlijk een extra belasting met iemand te doen te hebben die jou persoonlijk zoveel leed heeft aangedaan. Ik beloof je, dat ik vanavond, als ik niet word afgeleid nog eens iedere seconde van die middag in het vliegtuig aan me voorbij zal laten trekken... beloofd!."
„Aangenomen!" zei Marek. Hij trok haar nog eens naar zich toe en kuste haar tot ze ademloos om genade smeekte.
„Goed, alweer aangenomen, maar luister nog even." Hij stak haar hand omhoog met zijn vingers om haar pols. „Ik geloof in voorwerpjes die je elkaar geeft uit vriendschap en liefde. Het gaat niet om het voorwerp zelf, maar om de wensen en gedachten die je het voorwerp meegeeft. Mijn pinkring past om jouw middelvinger, jij hebt van die dunne vingertjes... Wil je 'm dragen, met duizend goede wensen ter bescherming en gewikkeld in een heleboel vurige gebeden..."
„Ja en wil jij dan de ring om je pink dragen, die ik van mama en

papa heb gekregen toen ik achttien werd?" Ze schoof het ringetje van haar vinger, een gouden ringetje met twee robijntjes, maar het paste niet.
„Dit moet gewoon. Nu zul je eens zien hoe goed deze stewardess kan improviseren." Ze nam het gouden kettinkje van haar hals en schoof er, bij het gouden kruisje, de ring aan. „Zo, gelukkig dat het een lange ketting is, anders paste het ding nog niet eens om jouw hals... Nu ben je ook goed beschermd."
Ze maakte het kettinkje vast en kuste Marek. Hij hield haar een ogenblik stevig vast. „Dank je, schat, en nu ga ik je thuisbrengen, weg van dit idyllische oord maar ik moet nog even heel erg zakelijk zijn." Hij schreef zijn adres en telefoonnummer op en het adres van een meneer Jansen, een naam die weinig houvast bood, wat dan ook de bedoeling was. Voor je de juiste Jansen te pakken hebt, kun je heel wat bladen van de telefoongids door werken.
„Als je in het nauw zit, bel dan niet meteen mij, bel meneer Jansen en zeg hem: „Meneer Jansen, gaat het examen nog door? Kunt u het even voor me navragen en me terugbellen op nummer... en dan geef je het nummer waarop je teruggebeld wilt worden. Het lijkt overdreven maar het kan nodig zijn een uitwijkmogelijkheid te hebben. Jansen kan mij dag en nacht bereiken, zie je."
Romana bekeek het nummer een tijdje, herhaalde het drie keer en wist het toen voorgoed. Dat leek haar toch veiliger dan af te gaan op een vodje papier, dat zoek kon raken.
„Marek, tot nader order maken wij dus generlei afspraken met elkaar." Ze wilde dit nog even grondig afspreken voor er misverstanden zouden ontstaan. „Het is beter elkaar niet te veel te zien. Ik neem het nu niet licht meer. Ik weet, dat jij daar wanhopig door werd maar hoe kon ik het weten? Ik begrijp nu, waarom je zo tegen me brulde in de parkeergarage. Het is natuurlijk erg frustrerend als mensen totaal niet wensen te luisteren naar goedbedoelde raad."
„Ja, verder vind ik het niet prettig, dat je je hele familie, en vooral Kyra en Michael om de tuin moet leiden. Ze zijn geweldig hartelijk, en hebben me in jullie familie toegelaten zonder me als een vreemde te behandelen. Maar wat heb je aan onrust en paniek die je gaat zaaien." Ze waren langzaam naar de wagen gelopen en Romana begreep, dat hij nooit zonder meer aannam, dat er niemand aan de wagen had geknoeid, nu ze zijn geschie-

denis kende. Veel voorvallen of gewoonten die een ander niet begrijpt, lijken belachelijk voor de buitenstaander.
„Ik kan het natuurlijk niet waar maken alsmaar te blijven vertellen, dat ik niets van je familie weet," zei Romana. „Ik wil Kyra en Michael wel inlichten over je ouders en Marjory. Over Montez en wat je me voor de rest hebt verteld, praat ik niet, is dat goed? Kyra houdt namelijk alles zo goed bij, die wordt beslist achterdochtig als ik helemaal niets loslaat."
„Vertel maar wat je denkt, dat goed is, schat." Hij boog zich naar haar toe en kuste haar. „Stap in, ik wil je nog even een foto laten zien." Zijn ogen glinsterden deze keer ondeugend. Ze nam het fotomapje aan met het gevoel, dat ze voor de gek werd gehouden. Ze zag het grote hoofd van een stevige jongeman, met een neus die wees op een serie bokswedstrijden die lang niet allemaal gewonnen konden zijn; daarboven grappige kleine donkere ogen en een punkachtig kuifje.
„Grote genade," stamelde Romana. „Wel een karakteristiek koppie, maar wie is het?"
„Kun je je vergissen als je hem een keer hebt gezien?" vroeg Marek tevreden.
„Nee, natuurlijk niet." Romana schoot in de lach. „Het zal best een aardige jongen zijn maar het is mijn type niet... als je dat soms bedoelt? Is hij bokser geweest? Zijn neus heeft heel wat te verduren gehad. Het staat hem wel, hoe gek dat ook mag klinken. Wie is die man nou eigenlijk?"
„Dat is meneer Jansen," merkte Marek droogjes op. „En hij komt je morgenochtend halen en begeleidt je naar je werk... verder geen commentaar. Hij rijdt in een zwarte Mercedes."
Romana had het snel afgeleerd tegen te spartelen, dus zuchtte ze en zei: „Kyra zal wel raar kijken, die snapt er langzamerhand niets meer van en die ga ik dus vanavond zoetjes een en ander vertellen, laat dat maar aan mij over. Nog een geluk, dat meneer Jansen zijn eigen wagen meebrengt, want de mijne zou hij waarschijnlijk beter kunnen aantrekken, in plaats van erin te stappen."
Kyra, die met haar dochter zat te telefoneren, zag Romana en Marek aankomen en zei tegen Lon: „Ik moet ophangen! Daar komt Romana met haar Marek en volgens mij is het geen vluchtige bevlieging tussen die twee."
„Ja, ik vind 'm ook erg aardig maar een tikje afstandelijk, bepaald geen flapuit. Nou, dag Moek, tot volgende keer."

Ze belde af en Kyra knikte tegen haar nichtje en Marek. „Koffie? Vers gezet, en blijf je eten, Marek?" Ze grinnikte. „Jullie kijken zo dazig. Is je verstand nog niet tot koffie en eten afgedaald? Ach jongens toch, ik kan het me voorstellen, zeg even, moet je nou koffie?"
„Ja, dat wil Marek wel maar daarna gaat hij liever naar huis, want hij heeft nog werk te doen, zegt hij."
Hij ging inderdaad na een kwartier al weg en bleek opeens haast te hebben. „Ik, vind 'm leuk maar ik snap niets van hem. Nou ja, als jij hem maar begrijpt," mompelde Kyra. „Telkens als je denkt dat je hem losgewurmd hebt uit zijn cocon, spint hij zich meteen weer in. Een interessante man maar vermoeiend... of niet soms?"
„Ik ben blij dat je er over begint, Kyra... Ik weet het sinds kort, hij loopt daar niet mee te koop, maar er is nog maar zo kort geleden iets vreselijks gebeurd." Romana vertelde in sobere woorden over het ongeluk in de Italiaanse bergen en over Marjory.
„Dat heeft zo'n diepe indruk op me gemaakt," zei ze stil. „Om het zo te verwerken als Marek heeft gedaan en nog doet, moet je heel sterk zijn. 't Is nog niet voorbij. Die man loopt vrij rond, terwijl Marek er van overtuigd is, dat het geen ongeluk is geweest. Je bent dan natuurlijk niet meteen een onbezorgde jonge man, die gemakkelijk een relatie met een meisje aanknoopt. Marek in ieder geval niet. Ja, en diezelfde man zat in het vliegtuig, toen ik Marek heb ontmoet en daar is hij niet bepaald gelukkig mee. Ik denk, dat hij bang is. Die man mag niet in mijn omgeving komen. Neem het hem eens kwalijk met zo'n achtergrond. Ik begreep er in het begin ook niets van en kwam overal tegen in opstand. Nu doe ik dat niet meer. Kijk dus niet gek als ik morgenochtend, omdat Marek zelf niet kan komen, wordt afgehaald door een enorme figuur in een net zo enorme zwarte Mercedes, bevel van Marek, die mijn rode clipsie een conservenblikje vindt."
Dat ze inderdaad op de hielen werd gezeten vertelde ze niet, maar Kyra beschikte over een behoorlijke intelligentie en zei nadenkend: „Ik vraag me af of die man waar Marek bang voor is, een gevaarlijke gek is. Al die rare hijgtelefoontjes; iemand die naar jou vraagt, omdat je je zogenaamd moet melden... en dan die schietpartij in Boshegge... het bevalt me niets. Wat moet die vent van jou?"
„Dat weten we niet," bekende Romana. „Je weet nou onderhand alles, omdat je doordenkt. Rijd Marek in ieder geval niet in de wielen door er politie in te mengen."

Ze vertelde niet wat Marek er verder mee te doen had, maar toen ze de deur uit wilde lopen, greep Kyra haar zo stevig bij de arm, dat het pijn deed en haar ogen hielden die van Romana vast.
„Romana, ik haat halve waarheden en daar ben jij mee bezig. Wie bescherm je? Ik wil de hele waarheid en niets dan de waarheid, begrijp je? Je weet dat ik kan zwijgen en geen kletskous ben. Ik heb immers ook nooit gepraat over dingen van vroeger, toen Lon en ik conflicten hadden. Je bent er zelf achtergekomen. Ik praat dus niet, maar dit wil ik weten... Je bent volwassen en Merel en Alexander zijn je ouders, heel lieve ouders, maar je bent ook ons kind, van mij en Michael. We hebben je niet voor niets als baby van enkele weken gekregen. Ik ga dood van angst als je me niet inlicht. 't Is echt niet uit nieuwsgierigheid, Roma!"
„Dat weet ik, lieverd." Romana's stem klonk hees. Ze sloeg haar armen om Kyra heen. „Het is een beetje uit de hand gelopen omdat jij zo pienter bent en onraad voelt, zodra ze aan je kinderen komen... Lieverd van me, Marek zal het me wel vergeven, voor jou alleen dan: Hij is BVD ambtenaar en moet uitgerekend achter die kerel aan, die zijn familie uitgeroeid heeft... niet voor dat zogenaamde ongeluk maar voor landsgevaarlijke activiteiten... Montez schijnt, als ik het goed heb begrepen, van links naar rechts staatgeheimen te verkwanselen aan wie het meest geeft. Dat is altijd zijn enige drijfveer."
„Jaja, maar wat heeft dat met jóu te maken!" riep Kyra wanhopig en schudde Romana door elkaar. „Zeg het me... zeg het!"
„Ik weet het niet. Marek weet het ook niet. Dat is juist zo erg... we weten het niet, geloof me nou!" Kyra liet haar langzaam los. Ze zag doodsbleek en trilde over haar hele lichaam. „Kon ik je maar veilig opsluiten," zei ze wanhopig.
„Ja, datzelfde zou Marek willen, maar dat kan nu eenmaal niet. Het leven gaat verder en ik moet het ook niet overdrijven, want anders ga ik me aanstellen als een haas, die uit zijn hol wipt en vlug naar het andere holletje rent om 1-2-3-buut-vrij te spelen. Dat kan niet, Kyra. Marek doet echt wat hij kan, daar heeft hij alle belang bij... vandaar dat morgenochtend meneer Jansen verschijnt en clipsie in de garage blijft staan... Het is allemaal nogal schokkend, hè?"
„Ja, dat kun je wel zeggen," zei Kyra. Ze had in geen jaren gerookt, maar nu grabbelde ze blindelings een sigaret uit de zilveren doos op tafel, omdat ze iets moest doen voor ze volkomen doordraaide. Michael, die vrij vroeg thuis kwam en zich verheugde op

de avond merkte meteen op, dat Kyra bleek zag en zo lusteloos was.
„Ik heb hoofdpijn en stevig ook," zei ze kortaf. „Let nou maar niet op me, het gaat wel over."
„Ja, meestal, als je maar lang genoeg wacht." Michael trok verwonderd zijn wenkbrauwen op. Een chagrijnige Kyra was zo iets ongewoons, dat hij er later weer op terug kwam.
„Zeur nou niet!" schreeuwde Kyra en smeet een boek zo hard neer, dat het op de grond viel. Michael raapte het boek liefdevol op, wat ook al niet in goede aarde viel.
„Ik deed het niet met opzet, hoor," snauwde ze en toen opeens zag ze, hoe teleurgesteld en verbaasd Michael keek. Hij had zich verheugd op een zeldzame, rustige avond en vrouwlief was bezig die avond te verknoeien. „Het spijt me, Michael." Ze sloeg haar arm om zijn hals en gaf hem een zoen. „De bui trekt over, de hoofdpijn ook. Fijn dat je zo vroeg thuis bent."
Michael deed alsof hij alles geloofde, maar vond de sfeer toch een beetje vreemd.
De volgende morgen werd Romana inderdaad door 'meneer Jansen' afgehaald. Kyra voelde zich geruster toen ze de twee meter lange krachtfiguur zich zag ontvouwen vanuit de zwarte Mercedes en was blij, dat Michael een halfuur eerder was vertrokken. Ze had niet geweten hoe ze deze onverwachte aanwinst in verband met hun Romana had moeten verklaren. Ze wuifde Romana een tikje wazig na en Romana, die er zich enorm mee amuseerde, dat zij, als een soort super-ster met een forse lijfwacht werd uitgerust, wuifde vorstelijk buigend terug voor de wagen zacht en geruisloos weggleed.
Meneer Jansen bleek een beleefd maar weinig spraakzaam mens te zijn, die Romana volgens afspraak, veilig en wel afleverde bij het bemanningscentrum. Ze had hem nog beleefd af willen schudden op de parkeerplaats maar dat lukte niet. Hij bracht haar letterlijk aan de balie, groette beleefd en verdween met een: „Tot ziens, ik haal u weer af."
Romana voelde zich even een beetje wonderlijk en onwerkelijk, maar dat ging over, zodra ze in het gewone werkritme zat en alles normaal en vanzelfsprekend ging.

HOOFDSTUK 8

Kyra, die na Romana's verhaal geen rustig uur meer had gekend, slaakte een zucht van verlichting, toen de zwarte Mercedes voor het tuinhek stil hield en Romana afscheid nam van haar onverstoorbare lijfwacht.
„Nou, daar ben ik weer, onbeschadigd. Ik heb in volledige rust prettig gewerkt." Ze sloeg haar armen om Kyra heen. „Lach nou eens en doe niet zo ongerust. Het zal wel zijn opgezet als plagerij voor Marek en het is nu voorbij."
Marek belde op.
Hij had graag willen komen, zei hij, maar hij moest iets gaan bespreken over Marjory's verzorging en dat ging voor. Hij vertelde het aarzelend, alsof hij bang was voor haar reactie maar Romana zei heel rustig en vanzelfsprekend: „Ja, dat begrijp ik. Daar hoef je je niet voor te verontschuldigen. Wanneer kan je wel komen? Morgen? O, dat is prima, zeg. Meneer Jansen is geen prater maar wel een echte bodyguard. Hij wijkt geen centimeter van me en is heel plechtig, hij... eh... hij lijkt niet op zijn uiterlijk. Hij ziet er nogal wuft uit maar is heel ernstig en serieus."
„Heb je geprobeerd met hem te flirten?" Marek schoot in de lach.
„Veel meisjes vinden hem interessant maar het is net een computer... althans in zijn werk. Je zult het niet geloven, maar hij heeft een beeldige vrouw en een heel mooi dochtertje. Het is een buitengewoon aardige en betrouwbare man."
„Komt Marek niet?" vroeg Kyra verwonderd. „Ik moet zeggen, dat hij niet al te hard loopt, zeg."
„Hij moest naar Marjory. Hij wilde iets aan haar verzorging veranderd zien." Het klonk vanzelfsprekend, niet geïrriteerd of teleurgesteld en Kyra schaamde zich terecht voor haar vervelende opmerking.
„Ik weet toch, dat ik daar nooit aan mag tornen," voegde Romana er rustig aan toe. „Dat moet, anders wordt het nooit goed tussen ons. Het zal in de toekomst misschien best moeilijk zijn als ik altijd rekening met Marjory zal moeten houden, maar ik wil er nooit ook maar een schijn van onenigheid door krijgen. Marjory noch Marek hebben om dat vreselijke lot gevraagd en ik houd van Marek, dus ik zal het met hem moeten leren dragen. Ik zou me nu al heel erg schuldig voelen als hij een bezoek aan haar oversloeg terwille van mij. Geen mens weet toch wat zich in haar

geest afspeelt. Misschien niets, maar het kan ook heel veel zijn, niemand weet het. Marjory heeft een heel lief gezichtje, onwerkelijk teer in deze omstandigheden, net een beeldje. Als ik Marek met haar bezig zie, zou ik wel kunnen schreeuwen van onmacht en ellende, maar zoiets doe je niet... Je blijft sterk en verstandig, jaja, dat probeer je tenminste." Ze keerde zich haastig om en liep de kamer uit, omdat ze niet wilde, dat Kyra haar tranen zag.
De volgende middag zat Romana op haar kamer een lange brief aan haar ouders te schrijven. Ze stuurde haar brieven altijd naar het volgende adres, zodat haar brieven daar meestal al lagen als Merel en Alexander er aankwamen.
Het lichtje op het telefoontoestel op Romana's bureau ging aan. Dat betekende, dat er beneden telefoon werd opgenomen. Als het binnenkomend gesprek voor Romana bestemd was, drukte men beneden op de zoemer.
Dat was ook nu het geval. „Ja?" meldde Romana zich...Wie is er aan de lijn?"
„Ik weet het niet, ik versta die man niet goed. Neem je over?" vroeg Kyra en Romana deed dat, maar hoorde niets.
„Met wie spreek ik?" vroeg ze ongeduldig, want er was wel degelijk iemand; ze hoorde de ademhaling aan de andere kant van de lijn. „Wanneer u zich niet meldt, verbreek ik de verbinding; komt er nog iets?"
„Luister goed, Paluda!" Ze schrok vreselijk van de stem en het was een moedwillige onbeschaamdheid alleen haar achternaam te noemen. „Als jij niet wilt, dat er zeer binnenkort iets met je ouders gebeurt, dan kom je vanavond om tien uur op de dienstweg, even voorbij gebouw Elzenhof. Je komt in je eigen rode auto en met hetzelfde uniform aan, dat je droeg toen ik je voor het eerst heb ontmoet, begrijp je wel? Heb niet het hart, dat je ook maar iemand waarschuwt, want dat is hun dood. Ik weet alles wat je doet."
„Ik begrijp helemaal niet, wat u van me wilt... waarom zit u me achterna?" Ze sloot haar ogen om zich te kunnen concentreren op die koude, dreigende stem. „En waarom moet ik in uniform komen? Geeft u me dan minstens wat meer uitleg... waarom?"
„Ik beantwoord geen vragen. Doe wat ik zeg en doe het alleen... als het leven van je ouders je lief is." Het gesprek werd daarna met een onverbiddelijke klik afgebroken.
Romana bleef verslagen met de hoorn in haar hand zitten staren zonder iets in zich op te nemen. Een boze droom, niets dan een

boze droom!? Het was zo onwerkelijk... iets, dat je in een boek las maar dat jou zelf natuurlijk nooit kon overkomen. Iemand, die je bedreigde door de telefoon... die... Ze had Kyra niet binnen horen komen en schrok, toen haar tante de hand op haar schouder legde. Haar stem klonk, gezien de situatie, ongewoon rustig: „Ik heb beneden meegeluisterd omdat ik het niet vertrouwde." Ze nam de telefoon uit Romana's hand. „Ik denk, dat we het best de politie kunnen waarschuwen."
Er kwam weer een beetje kleur op Romana's gezicht, de wazige, uitdrukking in de grote donkere ogen verdween langzaam.
„Neen, neen, geen politie. Laat me even bijkomen... Wat heeft Marek ook al weer gezegd. Als je in het nauw zit... als je in het nauw zit..."
Ze wreef met beide handen over haar gezicht, dat zo strak aanvoelde alsof ze het nooit meer gewoon zou kunnen bewegen. „Als ik in het nauw zit moet ik meneer Jansen bellen en zeggen... Wat moet ik zeggen? O ja, ik weet het... ik moet vragen of het examen nog doorgaat... of hij dat even wil navragen en me dan terugbellen op het nummer dat ik opgeef, maar ik weet niet of het verstandig is van hieruit te bellen."
„Neen, natuurlijk niet en jij blijft binnen. Ik ga boodschappen doen op de fiets, met mijn boodschappenmandje aan het stuur, naar Bonemet. Die oudere mensen zijn met z'n tweeën, daar kan ik wel bellen, denk ik."
Bonemet was een klein, ouderwets boter-kaas-en-eieren winkeltje, waar Kyra altijd verrukkelijke kaas, verse eieren en geurige roomboter haalde.
„Wees alsjeblieft voorzichtig." Romana grabbelde met bevende handen het bewuste telefoonnummer uit haar tas. Haar vingers waren stijf en ijskoud en ze liet het papiertje twee keer op de grond dwarrelen.
Zwijgend raapte Kyra het papiertje op en bekeek het.
„Beloof me, dat je binnen blijft en voor niemand open doet. Ik ben binnen de kortst mogelijke tijd terug. Tiger past wel op je." Ze kuste Romana, klopte haar bemoedigend tegen haar wang en liep naar beneden, waar ze haar jasje aanschoot en haar mandje van het rek nam. Ze merkte niets verdachts, toen ze haar fiets uit de schuur nam en zo rustig als het haar mogelijk was het laantje af fietste.
Romana was bang, heel erg bang... Die Montez stond voor niets. Als hij maar niet achter Kyra aanging...

Kyra bereikte zonder ongelukken het winkeltje van Bonemet, zocht eerst buiten nog uitgebreid naar haar beurs en boodschappenbriefje en ging daarna naar binnen. De ouderwetse deurbel klingelde gezellig. Het oudere echtpaar, hij met een wit jasje aan en zij met een wit schort, glimmend als gepoetste kastanjes zei Kyra altijd, stond achter de toonbank gezellig en vriendelijk als altijd.
Ze hadden het altijd druk en nadat Kyra de klanten goed had bekeken en had herkend als onschuldige bewoners van huizen in de buurt, vroeg ze, of ze intussen even naar huis mocht bellen.
„Natuurlijk mevrouw," zei meneer Bonemet. „De telefoon hangt binnen, mijn vrouw wijst u wel even waar u kunt bellen."
Mevrouw Bonemet liet Kyra in de huiskamer en trok de deur stevig achter zich dicht. Kyra draaide snel het nummer en hoorde een uiterst kort: „Jansen" waarop ze zonder aarzelen antwoordde: „Kunt u me zeggen of het examen doorgaat? De hele buurt denkt dat het wel zo is... daarom bel ik uit de kaaswinkel, met Kyra... Romana's zuster."
„Hoe is het nummer van de kaaswinkel?" Het antwoord kwam onmiddellijk zonder navragen. Kyra gaf het op; binnen enkele minuten, lang genoeg om een telefoonnummer na te slaan, werd ze teruggebeld met de boodschap: „Ga rustig naar huis, doe niets en blijf thuis, beiden."
Zo fietste Kyra met haar mandje boter, kaas en eieren een kwartier later terug naar huis. Ze had zich vreselijk zorgen gemaakt over alles wat er intussen thuis had kunnen gebeuren, zoals Romana zich over haar, onbeschermd op de weg, ongerust had gemaakt, want ze waren geen van beiden gewend met misdadigers om te gaan.
De boodschap, dat ze helemaal niets moesten doen en gewoon thuis moesten blijven kwam vooral Romana voor als een anticlimax. „Hoe kan dat nou? En mijn ouders dan? Moeten die niet gewaarschuwd worden?" Ze ijsbeerde heen en weer in de grote zitkamer, trillend van de zenuwen.
„Ik weet wel, ik ben opgeleid om iets te doen, als ergens de nood aan de man komt, niet om hysterisch te worden. Maar ik kan nu helemaal niets doen! Dat is juist zo erg... en het duurt nog heel lang voor het tien uur en donker is."
„Je bent toch zeker niet zo gek om te gaan?" Kyra schoof haar een kop verse, sterke koffie toe. „Vooruit... drink... dat zal je goed doen."

Romana zat wat voorover gebogen, haar handen gevouwen om de koffiemok, waaruit ze het liefst dronk. „Ik zal wel doodsbang zijn maar ik doe het wel als men mij niet de garantie kan geven, dat mama en papa absoluut veilig zijn."
„Romana, alsjeblieft... gebruik je verstand!" viel Kyra uit. „Denk je, dat je ouders blij en dankbaar zullen zijn als jij je, om hen te redden, om laat brengen? Kom nou toch, kind, dat kun je toch niet menen."
„Nou ja, waar praten we eigenlijk over?" Romana zette de koffiemok half gevuld weer op de tafel. „Ik kan het niet uithouden hier maar te zitten en te wachten. Ik... neen maar, kijk eens! Michael is er nu al en het is nauwelijks vijf uur! Die is ook vroeg vandaag!"
Michael wuifde naar hen, stapte uit en opende de deur van de grote garage, waarna hij zijn wagen naar binnen reed en de deur weer naar beneden liet glijden. Hij kwam het huis binnen via de verbindingsdeur tussen de garage en de bijkeuken, waarna hij heel kalm de kamer binnenkwam. Hij begroette Kyra en tikte Romana tegen haar wang.
„Doe gewoon," verzocht hij. „Blijf kalm zitten, Romana... geef me een kop koffie, Kyra... intussen praat ik verder." Hij liep naar het venster, raapte daar een boek op, dat op een tafeltje lag en demonstreerde zo voor iedereen die in hinderlaag mocht liggen, dat de heer des huizes er was en niet wist, dat er iets verkeerds was in het gewone ritme van het huishouden. Daarna ging hij in zijn stoel voor het grote venster zitten en nam met een vriendelijke knik en glimlach de koffie aan, maar hij zei: „Ik weet overal van... Iedereen, wie dan ook, heeft kunnen zien, dat ik alleen ben thuisgekomen en bij jullie zit. Ons huis is, helaas mag ik wel zeggen met al die doorzontoestanden zo doorzichtig als een aquarium. Over tien minuten, niet eerder, Romana, mag je de kamer uitgaan. Boven in jouw kamer, wacht Marek. Die heb ik namelijk hier gebracht, weinig comfortabel in de kofferruimte van mijn wagen. Gelukkig voor hem dat het zo'n bakbeest van een wagen is."
„Grote genade," mompelde Romana, en grinnikte zelfs even, hoewel er niets te lachen viel.
„Ja, het was de enige manier om ongezien binnen te komen," zei Michael ernstig. „Handig bekeken mij in te schakelen. Ik heb een en ander van Marek gehoord, ofschoon hij ook nog niet weet, wat dat sein via Jansen inhield. Hij begreep wel, dat 'heel de buurt weet ervan' een waarschuwing inhield. Ik moet zeggen, dat

jullie het handig hebben gespeeld via het winkeltje van Bonemet."
„Die eer komt Kyra toe, ook die toevoeging over 'de hele buurt', daardoor begrepen ze natuurlijk, dat 'de buurt' onveilig is," zei Romana en zuchtte diep. „Ik heb het er benauwd van. Het zou leuk en spannend zijn als het een verhaaltje was, maar helaas is het bittere ernst."
„Ik had het ook erg benauwd over jou, omdat je alleen thuis was." Kyra probeerde te lachen maar het lukte niet erg. „Je doet heel wat als je je gezin wilt beschermen."
„Ja, en ik zat over jou in," bekende Romana. „Jij alleen op de fiets en zo gemakkelijk omver te rijden. Ik snap overigens nog steeds niet wat die afschuwelijke kerel van mij moet en dan, dat uniform! Zou het een gevaarlijke psychopaat met een uniform-tic zijn? Het lijkt me ver gezocht maar ik kan er geen enkele redelijke verklaring voor bedenken."
„Ik zou nu maar naar boven gaan, rustig alsjeblieft, hè?" kwam Michaels kalme stem tussenbeiden. „Doe niets onbesuisd."
Romana liep inderdaad rustig de kamer uit maar daarna stormde ze de trap op en Marek sloot haar onstuimig in zijn armen. „Ik heb zo verschrikkelijk in angst gezeten. Wat is er allemaal gebeurd? Vertel eens gauw!"
„Montez eist, dat ik vanavond om tien uur op de dienstweg kom, in mijn eigen auto en met mijn stewardess-uniform, hetzelfde dat ik aanhad, toen... Er moet dus wel verband bestaan, maar... daar gaat het nu niet om. Als Kyra, die het niet vertrouwde, niet beneden had meegeluisterd, zou ik zijn gegaan, absoluut, Marek..." Ze zei het met een bijna griezelige, fatalistische kalmte.
„Maar waarom, Romana, waarom? Je zou het toch aan mij overlaten?" Hij schudde haar in zijn opwinding hard door elkaar. „Weet je wel, wat je daar zegt? Dacht je werkelijk, dat je daarheen zou kunnen gaan en er heelhuids weer vandaan komen? Waarom doe je zo?"
Romana keek naar hem op. Haar gezicht was strak. De donkere ogen leken onnatuurlijk groot. „Omdat hij gedreigd heeft, mijn ouders te vermoorden, zoals hij de jouwe heeft vermoord... daarom, Marek!"
„Dus dat is het... God zij gedankt voor Kyra." Het klonk plechtig en langzaam liet hij haar los en streelde oneindig teder over het donkere haar. „Kyra zei... wat zouden je ouders er aan hebben, als... als zij veilig waren en jou overkomt iets," bekende Romana

moeizaam. „Ik ben zo bang, zo intens bang voor mijn ouders... Er mag hen niets overkomen, Marek. Mag ik alsjeblieft toch gaan, alsjeblieft..."
Ze huilde en Marek hield haar dicht tegen zich aan. Hij wist hoe ze zich voelde, omdat hij hetzelfde had meegemaakt, maar voor hem was het te laat geweest om nog iets te kunnen doen.
„Neen, Romana, je mag niet gaan en beloof me, dat je geen onbekookte dingen gaat doen. Je zou onze plannen doorkruisen en juist ongelukken maken; geloof me alsjeblieft, schat. Voor je ouders wordt gezorgd, geloof dat nou."
„Ja, maar als mama danst op dat grote toneel, kan niemand voorkomen, dat iemand haar kwaad doet. Ik word echt gek van angst als ik daaraan denk, Marek!" Haar stem begon overspannen te klinken en dat moesten ze natuurlijk juist niet hebben, dacht Marek bezorgd.
„Luister, Romana, zolang hij denkt dat jij komt, is er ook met je ouders niets aan de hand. Ik ben over een halfuur hier weg, dan wordt de zaak geregeld. Waar zijn je vader en moeder?"
„O." Romana sloeg verschrikt haar hand voor haar mond. „Daar heb ik niet aan gedacht van opwinding. Mama treedt vanavond niet op, ze komt pas tegen de tijd, dat ik hier Montez zou moeten treffen in het hotel in Zweden aan; dat weet ik zeker. Ik wil altijd weten, waar ze zijn en dat is voor mij natuurlijk niet zo moeilijk en ik doe het ook, omdat ik precies weet, hoe ik ze telefonisch en schriftelijk kan bereiken. Vandaar dat ik het nu ook weet."
„Dat is dan tenminste een meevaller," zei Marek. „Dan kan je hulp gemakkelijker localiseren, dan wanneer iemand op zo'n groot toneel ronddwarrelt, achter de bühne duizend gevaren loopt... evenals je vader, die er altijd bij is. Maar maak je niet meer ongerust, het komt heus in orde... en jij gaat in geen geval naar Montez. Mag ik nu dat uniform bekijken?"
Ze haalde het keurige, blauwe uniform uit de kast. Marek bekeek het aan alle kanten. Hij keek ook in de smalle zakjes, die Romana nooit ergens voor gebruikte, omdat ze de coupe van het mooie jasje niet wilde bederven. Het eerste onderzoek leverde niets op en toch moest er iets niet in orde zijn met het onschuldig lijkende kledingstuk. Marek pakte het jasje voor de tweede keer op en deze keer trok hij de voering van de zakjes naar buiten. Uit het linkerzakje rolde een klein, licht voorwerpje dat Romana voor een dubbeltje aanzag. Het plaatje moest beslist vastgezeten heb-

ben in het diepste hoekje tussen de stiknaad, want het was geen dubbeltje, het was veel dunner en zelfs veel kleiner.
„Hé, een dubbeltje... maar ik heb nooit..." Romana's stem ebde weg.
Ze keek naar het vliesdunne metalen rondje, een plaatje met kleine oneffenheden. Het plaatje lag op Mareks handpalm.
„Is dat..." begon ze aarzelend. „Is dat iets wat hij... Montez..."
„Dit hier, Romana, is een chip," zei Marek grimmig. „Je kunt het zo stellen: Dit is tevens de bom waarmee jij wekenlang hebt rondgelopen, want Montez wilde ten koste van alles die chip terug. Het kan dus niet anders dan een chip met belastend materiaal van enorm belang zijn. Waarom stopte hij dat ding in jouw zak bij die belachelijke omarmingscène in het vliegtuig? Ja, met de vingervlugheid van een goochelaar. Zo is die kerel op alle fronten een gevaar. Wel, hij wilde dat ding voorlopig kwijt, omdat hij zich een ongeluk schrok, toen hij mij ontdekte. Ik ben wel de laatste die hij wilde ontmoeten, na alles wat er is gebeurd. Hij was doodsbang dat ik hem iets zou aandoen en ik weet niet, welke kanalen hij nog meer aanboorde behalve de bij ons bekende. Hij kan dus misschien weten, en ik neem aan dat het zo is door het gegoochel met die chip, wat mijn werkzaamheden zijn. Een feit is dat hij mij met die chip op zak, zo gevaarlijk vond op dat ogenblik, dat hij het ding een paar uurtjes bij jou stalde. Toen kon hij 'm niet meer terugkrijgen, omdat ik hem op de dienstweg verhinderde jou klem te rijden en te dwingen tot uitstappen. Zo zit dat, begrijp je? Dat kleine plaatje is een enorme vangst, daarvan ben ik overtuigd. Jij mag geen enkel risico meer lopen. Ga naar beneden en vraag Michael ervoor te zorgen, dat hij onmiddellijk wordt teruggeroepen naar het ziekenhuis. Hij weet daar al van. Vraag niet verder, liefste, we hebben iedere minuut nodig."
„Ja, Marek. Nog even... ga jij wel vanavond?" Ze greep hem bij de schouders en hij legde kalmerend zijn handen over de hare. „Geef eerlijk antwoord. Daar heb ik toch ook recht op... Marek?"
„Met Montez' arrestatie heb ik niets te maken, daar mag ik me helemaal niet mee bemoeien. Maar ik wil erbij zijn in dit geval en als gunst is me dat toegestaan. Misschien krijg ik rust als ik weet, dat een gevaarlijk individu in veel komende jaren geen kwaad meer kan aanrichten. Je hoeft in geen geval bang te zijn, dat ik op hem zal gaan schieten of zoiets, heus niet."
„Ja, het zal een hindernis zijn die toch genomen moet worden," zei Romana zacht. Ze trok zijn gezicht tegen het hare en legde

haar armen om zijn hals, in een onbewust beschermend gebaar. „Ik hoop zo vurig, dat het allemaal goed zal gaan vanavond... dat er geen verdere ongelukken meer zullen gebeuren, maar ik weet best, dat ik je niet mag tegenhouden."
Mareks ogen hadden een vreemde, afwezige blik, die ze vaak had gezien, als hij zich onbespied waande en dan had ze zich, met schroom, afgevraagd of zijn gedachten weer bij de tragedie van zijn familie waren.
„Als dat plaatje niet op deze wonderlijke manier in onze handen was gevallen, had ik dan ooit wraak genomen? Ik weet het niet... het is... een heel kleine genoegdoening als ik met eigen ogen zie, dat het afgelopen is. Wat hij aangericht heeft is toch nooit meer goed te maken, nooit meer." Marek boog zich over Romana heen en kuste haar teder. „Ga nou, Romana, de tijd dringt... en wees maar niet ongerust."
„Marek vraagt of je wilt bellen, Michael," zei Romana zodra ze beneden kwam. Michael knikte en hij belde naar het ziekenhuis om te vragen of hij thuis kon blijven. Hij wist dat zijn secretaresse daarop zou antwoorden, dat zijn aanwezigheid dringend gewenst was.
Hij haastte zich dan ook naar de garage en vijf minuten later reed zijn wagen haastig de garage uit, met een verborgen passagier.
„Het ziet er naar uit, dat de zaak opeens in een stroomversnelling is geraakt." Romana vertelde wat er gebeurd was en het hielp hen om samen het hele verhaal vanaf het begin door te praten, omdat er nu verschillende gebeurtenissen begrijpelijk werden in samenhang met de jacht op de chip.
„Ik begrijp ook niet, hoe ze het willen redden zonder dat de uitkijkpost, of dat nou Montez is of een handlanger, mij vanavond de deur uit ziet gaan," zei Romana somber maar Kyra zei kortaf: „Ja, natuurlijk heb ik daar ook aan gedacht maar je gelooft toch niet, dat daar niet op gerekend is?"
Ze schrokken allebei zo hevig, toen de telefoon rinkelde, dat ze bijna een luchtsprong maakten.
„Neem jij 'm maar," fluisterde Kyra maar dat kostte Romana zoveel zelfoverwinning, dat de bel een half dozijn malen was overgegaan voor ze opnam.
„Ja? Met Romana Paluda," zei ze en liet de hoorn bijna uit haar hand glippen toen ze opnieuw de hatelijke stem met het sterke buitenlandse accent hoorde, zo dicht aan haar oor.
„Denk om je tijd, Paluda," zei hij. „Verstandig dat je geen politie

hebt gewaarschuwd. Ik waarschuw je nog één maal, houd het zo en kom prompt om tien uur; ik wacht je op... je komt alleen en in je oude uniform."
„Oud... wat is oud?"
Romana speelde het nu bewust uit om hem zekerheid te geven, dat ze met het juiste uniform zou komen. „Ik heb maar één uniform en daar ben ik zuinig op. Wat wil je toch met mijn uniform en hoe weet ik, of het wel veilig is als ik vanavond daar kom... kan het niet ergens anders?"
„Je komt daar waar ik wil, dat je komt, Paluda. Laat dat je voor gezegd zijn," zei Montez kortaf en met een zucht van verlichting legde Romana de hoorn neer. „Hij heeft niets in de gaten, en denkt dat ik echt onder zijn commando sta en doe wat hij wil. Dat is goed zo!"
Op de gewone tijd, tegen zessen, reed Michael zijn wagen weer het tuinpad op en de garage in. Hij was duidelijk zichtbaar alleen en hij kwam ook alleen de grote doorzonkamer binnen, rustig en weloverwogen zoals hij dat altijd deed, maar hij zei, terwijl hij zich naar Kyra boog: „In de bijkeuken staat het meisje, dat je vanavond vervangt, Romana. Neem haar mee naar je kamer en kijk of jouw uniform haar past. Ze is politieagente, dus ze weet wat ze doet. Nog even wachten en dan... rustig!"
Het meisje stond te wachten en ze keken elkaar nieuwsgierig aan. „Vreemd," zei Romana. „Je bent niet m'n dubbelgangster, en toch zullen we in het donker beslist wel op elkaar lijken. Je kon best een zusje van me zijn."
„Ik ben Liesbeth Strater." Het meisje stak haar de hand toe. Haar glimlach was aardig, haar ogen niet zo donker als die van Romana, maar het haar, dat ze heel anders droeg dan Romana was net zo donker en het figuur en de lengte klopten precies.
Romana ging het meisje voor naar haar kamer. Ze voelde, dat ze intens werd bekeken en begreep ook waarom dat zo was. Ieder mens beweegt en loopt anders en een klein verschil kan verraderlijk zijn.
Romana keek toe, hoe het meisje zich zonder moeite in het uniform hulde; het zat als gegoten.
„Ik vind het griezelig," zei Romana triest. „De hele geschiedenis is me ook zo rauw op het dak gevallen. Ik kan me niet voorstellen dat je niet doodsbang bent."
„Dat onze gelijkenis klopt, is niet moeilijk," merkte Liesbeth droog op.

„Marek heeft ons geïnstrueerd en je kunt je wel voorstellen, dat hij precies weet hoe jij eruit ziet."
Ze schoten samen in een ontspannende lach. Liesbeth bekeek zichzelf intens in de spiegel van de toilettafel. „Tot je geruststelling kan ik je zeggen, dat ik niet bang ben. Ik heb dit beroep bewust gekozen, net zo goed als jij stewardess bent geworden omdat je dat graag wilde. Jij moet toch ook rekening houden met onverwachte gebeurtenissen, nietwaar? Het verschil is, dat jij vanavond volstrekt weerloos zou zijn en ik de trucjes aardig ken, zie je. Jij hebt een opleiding gehad, ik heb ook een opleiding gehad, die er niet om liegt. Het uniform van stewardess staat me goed en wil je nou alsjeblieft m'n haar doen zoals je het zelf onder je hoedje draagt en plant dat ding er dan precies zo op als jij het draagt. Je moet altijd heel goed op de kleinigheden letten want die zijn vaak zo belangrijk, dat je er het eerst over zou struikelen... ga je gang!" Liesbeth knikte Romana geruststellend toe. „Het komt er allemaal heel erg op aan. De bal rolt nou eenmaal en is niet meer te stoppen, zo moet je het maar zien. Ik wil je nog één ding zeggen: Voor je ouders wordt gezorgd, neem dat maar aan. Ik blijf hier liever, mooi verborgen in je leuke kamer en in vol ornaat. Jij moet wel naar beneden gaan, anders wordt het verdacht. Ik neem aan, dat jullie onderhand aan tafel gaan en... eh... maak niet de fout met extra koppen koffie te gaan rondlopen in die doorkijkruimte daar beneden. Ik wil helemaal niets hebben. Ik ga hier rustig zitten wachten en de hele zaak nog eens punt voor punt doornemen... goed?"
Dat was goed gezien van Liesbeth, want het eerste wat Kyra vroeg was: „Als wij aan tafel gaan, moet die dame daarboven dan ook niet eten of minstens koffiedrinken? Kan dat?"
„Neen, dat heeft ze uitdrukkelijk verboden," zei Romana verschrikt. „Gewoon negeren dat ze boven is. Ik heb overigens nog nooit zo weinig behoefte aan eten gehad; het idee alleen al!"
„Nou, ik ook niet, maar het zal toch moeten," mompelde Kyra en zelfs Michael keek een tikje ongemakkelijk tegen het eet-ritueel aan, maar ze worstelden er zich alledrie met meer fantasie en toneelspel dan behoefte aan eten doorheen.
Bovendien werd het de langste avond die ze ooit hadden meegemaakt. Het wilde maar niet donker worden en het bleef maar vroeg. Ze keken de klok vooruit maar de tijd ging zo traag, zo vreselijk traag...
Liesbeth had Romana op het hart gedrukt, dat ze om halfnegen

de kamer moest verlaten om naar haar eigen kamer te gaan, omdat zij dan geacht werd haar uniform aan te trekken en het huis te verlaten. Op dat ogenblik nam Liesbeth in Romana's uniform haar plaats in, om met het rode autootje van Romana naar Schiphol te rijden. Romana liep naar boven en stond tegenover Liesbeth.
Ze legde haar handen op de schouders van het andere meisje. „Ik ken je pas maar ik voel me alsof ik je al jarenlang ken. Ik zie m'n spiegelbeeld, zelfs al lijken we van dichtbij niet echt op elkaar, uit de verte in ieder geval wel. Liesbeth... wees voorzichtig en God zegen je... dag."
„Dank je, Romana. Het komt wel in orde. Laat je vanaf dit ogenblik niet meer zien. Officieel ben je het huis uit, zodra ik weg rijd..." Ze liep naar beneden en Kyra liep binnendoor met haar mee naar de garage. „Het is toch normaal dat ik met Romana meeloop als ze weggaat en de garagedeur opendoe. Heb je de sleutel van de wagen? Ja? Nou... stap maar in... dag kind, ik wens je sterkte en alle goeds."
De tuinpoort was door Michael, op bevel van hogerhand, toen hij voor de tweede keer thuiskwam, open gelaten, zodat Liesbeth meteen vanuit de garage de weg op kon draaien en niet behoefde uit te stappen om de poort te openen. Liesbeth was op weg naar haar opdracht in Romana's uniform en in haar rode 'Clipsie.'
Niet bepaald dicht in de buurt van gebouw Elzenhof maar toch ergens in die omgeving stond een houten werkkeet en daarin zaten sinds vele uren hoofdinspecteur Jansen, deze keer in uniform en leider van de actie, en tevens een goede vriend van Marek, de tweede aanwezige.
Marek, die eigenlijk zijn deel aan de werkzaamheden had beëindigd, mocht toch de slotactie bijwonen, mits hij zich nergens meer mee zou bemoeien. Zijn aanwezigheid was een gunst, daarvan was hij ook overtuigd. Begrijpelijk wilde hij het ogenblik bijwonen, waarop de kwade genius van zijn leven werd ingerekend. Ze spraken nauwelijks daar in de houten keet maar Marek was zo gespannen, dat het vallen van een lucifersdoosje hem als een schot in de oren klonk. Wat overdag en in normale omstandigheden een gewone, wat landelijke weg was, die verderop aansloot op de snelweg, was in het donker en met de dreiging van dat, wat te gebeuren stond, een lugubere plek geworden. 't Was doodstil, wat geaccentueerd werd door het indringende geluid van opstij-

gende en dalende vliegtuigen. Autoverkeer was er niet veel op dit uur, de bus of af en toe de auto van een insider, voor de rest koos men toch de snelweg. Het was miezerig weer. De twee mannen in de bouwkeet wisten dat de hele omgeving vol zat met politie, tot in de verte bij het rasterwerk van de landingsbanen en overal waar Montez eventueel in paniek heen zou kunnen rennen. Overal lagen politiemensen in hinderlaag. De bedoeling was natuurlijk het risico voor Liesbeth zoveel mogelijk te beperken. Liesbeth, die de aangegeven plaats naderde ging langzaam rijden, maar zag geen stilstaande wagen aan de andere kant van de weg.

„Wat doet ze nou? Doorrijden?" fluisterde Marek.

„Neen... wacht... ze staat stil," fluisterde Jansen terug.

Van de andere kant, richting Schiphol, kwam een grote wagen aanrijden, die vaart minderde, toen de bestuurder het rode wagentje aan de andere kant van de weg ontdekte. Hij was zo snel aan de overzijde en rukte zo vliegensvlug het portier van het autootje open, om de smartelijk gemiste chip uit het uniformzakje te plukken, dat hij Liesbeth, die geen tijd kreeg om uit te stappen, uit de auto sleurde en toen tot de verbijsterende ontdekking kwam, dat het Romana niet was. Liesbeth kwam door de ruk bijna te struikelen en verkeerde daardoor in een ongelukkige positie. Montez slingerde haar van zich af met maar een doel: vluchten! Hij begreep, dat hij in de val was gelopen en het duister zowel zijn vijand als zijn helper was. Hij kon niet zien van welke kant het gevaar kwam maar hij moest proberen met zijn snelle wagen weg te komen. Hij had buiten Liesbeth gerekend, die hem meteen op de rug sprong. Voor hij ook maar één beweging had kunnen maken om haar af te schudden had ze van alle kanten assistentie. Montez had alles op één kaart gezet, vertrouwend op Romana's vurige wens haar ouders te redden, maar deze keer was men hem te slim en te vlug afgeweest. Hij wist wat het betekende: tientallen jaren zijn vrijheid kwijt zijn, tot hij oud en afgeleefd was, omdat hij in paniek was geraakt toen hij, nu weer vele weken geleden, Marek van de Mortel had zien verschijnen in het vliegtuig.

Montez hing, letterlijk briesend van woede en teleurstelling, tussen drie politiemannen, toen hij Marek in het oog kreeg, die daar doodsbleek stond met grote ogen die niets goeds beloofden en klaar voor de sprong. Door de manier waarop Montez probeerde terug te wijken en door zijn gil: „Hou die vent tegen!"

kon Derk Jansen er op het nippertje tussen springen en Marek terugsleuren. „Niet doen, Marek, hij heeft zijn straf in petto, ook voor al het andere, al is het langs een omweg. Bewaar je kalmte, alsjeblieft!" Marek keek zijn vriend verdoofd aan. Drong het tot hem door, wat Derk zei? „Weet je nog wat je hebt beloofd? Op die voorwaarde nam ik je mee. Je zou je beheersen. Daar was je sterk genoeg voor, of niet, Marek?"
„Ja," zei Marek, en draaide walgend zijn hoofd af van Montez. „Ja, je hebt gelijk. Ik maak aan dit vod mijn handen niet vuil. Neem hem alsjeblieft mee." Hij keerde zich om en liep weg, als een van de eenzaamste mensen die Derk zich kon herinneren ooit te hebben ontmoet. Helaas kon hij niet onmiddellijk achter Marek aangaan en vermoedde, dat Marek wel bij de auto op hem zou wachten. Zo kon hij even tot zichzelf komen. De hoofdinspecteur moest zich alleen nog maar met de zaak bezighouden, want Montez ging te keer als een gekooide tijger en beriep zich al schreeuwend op de langzamerhand meest uiteenlopende ambassades in de hele wereld, wat een bijzonder licht op zijn activiteiten wierp, die nog veelomvattender bleken te zijn dan verwacht werd. Intussen stond het vol politiewagens. Montez werd tierend en protesterend en nog steeds met zijn 'politieke onschendbaarheid' geen enkele indruk makend, afgevoerd. Er waren wel vier mannen nodig om hem in de wagen te werken.
Jaja, dacht hoofdinspecteur Jansen bitter, toen de wagen met Montez wegreed: politieke onschendbaarheid voor een lid van de ambassade, dat voor veel geld zijn land verkwanselt en de geheimen doorverkoopt aan de meestbiedende; en dat land beent meneer dan weer uit om zijn eigen land te 'dienen', een dubbelspion, die intussen nog even een gezin uitroeit dat hem gedwarsboomd heeft. Een mens met fouten? Neen, in dit geval een harteloos monster zonder enig mededogen.
Hij liep terug naar zijn wagen maar zag Marek nergens. Hij riep naar zijn mensen: „Heeft een van jullie Van de Mortel gezien?"
„Ja, lopend, een eind verderop, zeker op weg naar zijn wagen," zei een van de agenten, die een onverdiende kwade blik oogstte van zijn chef. Marek had geen wagen bij zich, want hij was met Jansen meegereden.
De H.I. stapte snel in zijn wagen en reed weg, onderwijl scherp uitkijkend. Binnen enkele minuten zag hij Marek aan de bermkant lopen. Jansen zette zijn wagen stil en liep Marek tegemoet.

Marek keek hem aan alsof hij slaapwandelde, zo leeg waren zijn ogen.
„Kom, Marek, dit kan niet. Wou je soms langs de snelweg naar huis wandelen? Kom nou! Stap alsjeblieft in. Waar wil je heen? Naar huis of naar Romana?" Hij duwde Marek letterlijk voor zich uit en werkte hem de wagen in.
„Breng me maar naar Romana," zei Marek tenslotte zachtjes. „Ze was zo bang! Het is een geluk, dat je me hebt tegengehouden voor ik dat heerschap zijn nek om kon draaien. Mijn verstand ging op de loop... het zou het stomste zijn geweest wat ik had kunnen doen."
„Ja, hij was wel bang, dat deed me genoegen," vertrouwde de H.I. hem grijnzend toe. „Het zijn altijd lafbekken als het om hun eigen hachje gaat."
Marek zei verder geen woord meer en zat in zichzelf gekeerd voor zich uit te staren. Bij Van Donckeren vloog de deur open zodra de wagen voor het tuinhek stopte. Romana kwam naar buiten met Kyra en Michael achter haar. „We hebben 'm," zei de hoofdinspecteur sober. „Hier is Marek, onbeschadigd. Het was een schok voor hem, laat hem eerst een beetje bijkomen."
Ze hoorden alledrie de onuitgesproken, toch duidelijke waarschuwing. Vraag hem niet te veel, hij is nog erg kwetsbaar.
Romana knikte, ze stak haar arm door die van Marek en loodste hem naar binnen, waarop Kyra met de pleister voor alle wonden kwam: „Wil je koffie, Marek, ze is sterk en vers."
„Ja, eh... heel graag," zei Marek beleefd, en keek de kamer rond alsof hij die nooit eerder had gezien. Hij liet de koffie koud worden en zei nog steeds niets.
Zo gaat het ook niet, dacht Romana bezorgd en ging naast Marek op de bank zitten. „Marek, ging het moeilijk? Hoe deed Liesbeth het? Zeg nou eens iets, we hebben hier vreselijk in spanning gezeten, weet je."
„Het ging allemaal vrij rustig, volgens het boekje, behalve dan dat hij zo vlug bij Liesbeth was, dat hij haar te pakken had voor ze een beweging kon maken. Maar ze redde het en ja... het ging goed. Hij werd ingerekend. Het barstte daar van de politiemensen, voor het geval hij er vandoor zou gaan en zich schietend een weg zou hebben gebaand, maar dat was niet zo. Als hij iets verdacht had gevonden zou hij zijn doorgereden. Hij zag, absoluut eenzaam, de kleine rode auto met achter het stuur een meisje in uniform van stewardess... een meisje, dat zo bang was voor de

bedreiging van haar ouders, dat braaf was komen opdraven. Hij had niet anders verwacht en wist blijkbaar heel goed, dat haar huis de hele dag geen bezoek had gehad, althans dat dacht hij. Wat ik nog niet kan verwerken is het feit, dat ik mijn woord tegenover mijn vriend niet heb gehouden. Ik had hem beloofd, dat ik me kalm zou houden, maar toen ik oog in oog met Montez stond, kreeg ik het te kwaad. Alles wat er gebeurd is werd als een vloedgolf over me heengespoeld. Ik stikte er bijna in en Jansen kon me nog net tegenhouden, anders zou het er waarschijnlijk slecht hebben uitgezien voor die kerel. Hij had dat in de gaten en schreeuwde opeens als een mager varken... dat was het dan. Jij bent ook weer veilig, Romana... en dan te weten dat je wekenlang met een bom in je zak hebt rondgelopen... met veel staatsgeheimen hebt gegooid, als je dat jasje ergens neerlegde, het bijvoorbeeld in een restaurant zo maar even neerhing..."
„Maar dat deed ik niet," zei Romana verbaasd. „Ik ben er altijd erg netjes op en als ik zo slordig met dat jasje was omgesprongen, had het hem niet zoveel moeite gekost het eerder te pakken te krijgen. Daarmee is dus bewezen, dat alles betrekkelijk is, ook netheid, waardoor je dus ook al in de problemen kan komen en niet alleen door slordigheid. Het zou niet best voor me zijn geweest als iemand dat bommetje in mijn zak had ontdekt. Bewijs dan maar eens, dat je zo onschuldig bent als een pasgeboren lammetje. Enfin, het raadsel is opgelost en ik kan me weer vrij bewegen. Het is voorbij."
Daar gaf Marek geen antwoord op. Hij was niet blij of gelukkig en toonde zich ook niet opgelucht, dat het allemaal goed was verlopen.
Romana vond hem vreemd, afstandelijk en onverschillig, ook tegenover haar.
„Mag ik de hond uitlaten?" vroeg ze aan Michael. „Ik heb behoefte aan een wandeling, aan de wind om mijn oren. Ga je mee Marek?"
Het was meer een bevel dan een verzoek, maar hij protesteerde niet en stond meteen op. Tiger was al bij de deur.
Ze liepen zwijgend de laan uit. Romana wachtte geduldig, maar toen Marek bleef zwijgen, vroeg ze: „Marek, heb ik wat verkeerds gedaan? Heb ik iets gezegd waar je boos over bent? Zeg het dan liever."
„Neen, ik ben niet boos." Er kwam meer warmte in zijn stem en hij sloeg zijn arm om haar schouders. „Het is niet jouw schuld.

Het ijskorstje dat vanavond is gegroeid, moet eerst smelten. Jij zei, het is voorbij, maar niets is ooit 'voorbij'."
„Neen, maar we moeten toch verder en als je alleen maar om blijft kijken, blijf je struikelen op de weg die voor je ligt, Marek."
„Kijk eens naar Marjory," zei Mark zacht. „Zo jong en al een stuk van het verleden en geen toekomst meer. Is daar iets positiefs aan te ontdekken?"
„Neen, niet aan het feit zelf maar wel, dat jij bijna ongeschonden dat ongeluk hebt overleefd, zodat jij voor Marjory kunt zorgen. Ze heeft jou en daar kan niemand tussenkomen, daar wil ook niemand tussenkomen, ik zeker niet. Ik houd van jou en ik denk, dat het zeker zal zijn, en dat weet ik ook, 'for better and worse'. Ik heb toch altijd moeten kiezen of delen, nietwaar? Kyra en Michael zijn mijn tweede stel ouders en ik ben dol op hen, maar buiten dat gevoel voor hen en het fijne tehuis dat ik altijd heb gehad, bleef er toch altijd een knagend gevoel van heimwee naar mijn eigen vader en moeder. Ik kon dat nooit helemaal overwinnen, het was altijd een soort achtergrondmelodie; en mama en papa die er plotseling, zo maar zijn in Boshegge, dat is zoiets intens stralends, dan ben ik helemaal 'uit mijn huisje'... En als ik op een route zit, die ergens dicht bij hen in de buurt zit, denk ik: Hè, nou er vandoor gaan, de trein pakken, opeens zomaar 's avonds in de zaal zitten, mama zien dansen, opeens naast papa zitten en zeggen: 'Dag papa, dat had je niet verwacht, hè?' Weet je, zoiets gebeurt nooit, natuurlijk niet, maar het is fijn om eraan te denken en het helpt tegen heimwee. Ik ben er nou eenmaal zo eentje. Sommige mensen hebben daar geen last van, ik had het altijd... Misschien kan ik me daarom zo goed indenken, hoe jij je voelt, en is het goed geweest, dat ik er altijd zo'n last van had. Stilletjes wist ik te aanvaarden, dat het nou eenmaal niet anders kon en ik eigenlijk weinig te klagen had, met zulke fantastische mensen als Kyra, Michael en hun kinderen achter me... denk je ook niet, Marek?"
„Ik denk, neen, ik weet, dat ik van je houd, Romana Paluda, zoveel als ik nooit had gedacht van een ander mens te kunnen gaan houden. Niet omdat je zo mooi bent, maar omdat je zo lief bent, zo wijs en omdat je iemand die wanhopig is en eenzaam, het gevoel kunt geven: Als ik met haar praat, me in haar warmte koester, dan voel ik me goed, dan moet ik het weer redden. Ik houd van je en kan je niet meer missen. Hoe was het toch een paar maanden geleden nog maar, zonder jou? Het was overigens

niet erg aangenaam voortdurend over jouw veiligheid in de zorgen te moeten zitten, maar dat nam ik op de koop toe." Marek trok haar in zijn armen en kuste haar.
Romana nestelde zich gezellig in zijn armen en zei met een zucht van geluk: „Leuk hè, als je elkaar eens kunt knuffelen... zonder angst voor nare kereltjes Montez, zonder je wat dan ook af te vragen, zonder toeschouwers, die zich afvragen hoe verliefd we zijn en 'of het iets worden' zal..."
Marek schoot in een spontane, hartelijke lach, die ze nog nooit van hem had gehoord.
„Tegen dat geknuffel heb ik totaal geen bezwaar maar geen toeschouwers... kijk daar nou eens!" Ze keek om en zag Tiger, die daar op zijn achterste zat en met gestrekte hals en gespitste oren naar hen zat te staren met zijn grote vriendelijke ogen.
„Hij vindt het goed, zij het iets onwennig, anders had hij allang een stuk uit je been gebeten," aldus Romana zeer prozaïsch. „Hij is wel op zijn hoede, onze Tiger. Goed volk... jongen, goed volk!"
Met de armen om elkaar heen slenterden Romana en Marek terug naar huis. Tiger liep als een trouwe wachter achter hen aan, een beetje mistroostig, want van lekker rondhollen op het stuk grasland, een eind verderop, waar hij met zijn 'echte' baas altijd naar toeging, was vanavond niets gekomen en aandacht hadden ze ook niet al te veel voor hem. Hij probeerde een paar keer zijn grote lijf tussen hen in te wringen, maar toen dat niet lukte berustte hij er in dat de zaken niet altijd volgens wens verliepen en een dubbel „Braaf, Tiger... braaf!" met een ook al dubbel uitgevoerde goedkeurende aai was toch mooi meegenomen!
Kyra en Michael, die het gebeurde natuurlijk uitgebreid hadden bepraat, keken verrast naar Romana en Marek. Hun gezichten waren in mineur geweest toen ze weggingen, maar alles was blijkbaar in orde, ze straalden allebei.
„We gaan trouwen," zei Marek. „Als het kan vanuit jullie geliefde Boshuis, daar is het geknipt voor."
„En in de postkoets," voegde Romana er aan toe en knikte tegen Marek, die niet op de romantische postkoets had gerekend en duidelijk verschrikt keek.
„O, wat enig!" riep Kyra enthousiast. „Dus het wordt gelukkig niet: dag mama, dag papa, we hebben een leuk flatje gezien en vertrekken over twee weken. We krijgen een echte trouwerij in Het Boshuis!"
„Ja, een ouderwetse trouwerij," zei Marek en voegde er zuur-zoet

aan toe: „Zelfs met een postkoets; als dat niet romantisch is, weet ik het niet. Ik hoop dat ik in dat vehikel pas, want tegenwoordig zijn de mensen veel langer dan vroeger. Maar tja, ik wil Romana's plezier niet bederven, dus offer ik me wel op, dat wil zeggen, wat die postkoets betreft... de rest is natuurlijk geen opoffering."
„Ik denk, dat de hele familie wel komt," mompelde Michael en grinnikte vol medegevoel. „Maak je er niet druk om, Marek, niemand vindt het gek... die koets hoort bij Het Boshuis en Het Boshuis hoort bij Boshegge en wij allemaal horen bij Het Boshuis en bij Boshegge en... nou ja, dit is mijn belabberdste redevoering en je mag wel eens met Roel in zijn hoedanigheid van redactie van 'Bos-Sprokkels' praten, want ik vermoed, dat jullie intussen het hele eerste nummer kunnen vullen. Dat zijn geen sprokkels meer, het is een forse boom! Kijk overigens niet alsof je niet weet, wat je van ons moet denken. Onze toon onder elkaar is lichtelijk... eh... plagerig... netjes gezegd. Je zult aan je nieuwe familie moeten wennen, knaap. Het zijn er nogal veel, zoals je al hebt gezien. Nog commentaar?"
„Neen, ik vind het gezellig," zei Marek en, met een verliefde blik in Romana's richting: „Maar voor haar doe ik alles... zelfs trouwen in een postkoets."
Op dat ogenblik liet Tiger, die uitgevloerd voor de open haard lag, met het geluid van een leeglopende band, zijn neus op zijn voorpoten zakken. Het had uiteraard niets met de postkoets te maken, maar het klonk wel, alsof hij alle hoop liet varen, waarop dokter van Donckeren met vrouw en pleegdochter in een homerisch gelach uitbarstten en Marek er wat onwennig bij zat. Het was even wennen, hij had het juiste ritme en de speciale toon van de familie-humor nog niet helemaal te pakken, maar dat kwam omdat familie-eensgezindheid sinds enkele droeve jaren voor hem een dor en droog terrein was geworden. Het drong met een schok tot Romana door. Ze strekte haar hand naar Marek uit en trok hem naar zich toe.
„Wat doen we gek, hè Marek? Maar we menen het goed!" Een zonnige, vriendelijk glimlach, een hartelijk knikje en een warme druk van haar hand die de zijne vasthield. „Maar af en toe samen een beetje gek doen is heerlijk, is verfrissend en jij leert dat ook weer, ik weet het zeker."
„Ik hoop een goede leerling te zijn," zei Marek en even later bewees hij, dat hij gevoel voor humor had, want Michael merkte volkomen onverwacht op, zonder er aan te denken, dat zijn fami-

lie niet kon weten, waarover hij had zitten nadenken: „Die idiote voorgevel moet veranderd worden, dat zeg ik je!"
Er viel een diepe stilte.
Kyra, bezig met het zoveelste koffierondje, bleef met de opgeheven koffiekan in de hand zitten, als een modern Doornroosje. Ook Romana en Marek zaten hem zwijgend aan te staren.
„O ja?" vroeg Kyra tenslotte en ging verder met koffieschenken. „Is het te veel verlangd om te vertellen wat de bedoeling is en niet middenin je eigen gedachtenwereldje te gaan babbelen? We zijn niet helderziende."
„Je denkt niet na, Kyra-lief," zei Michael neerbuigend.
„O neen? Nou meestal doe ik dat toch wel," prikte ze terug. „Daarom reilt en zeilt alles hier zo redelijk, want jij bent meer dan vijftig procent 'ziekenhuis', wat overigens geen verwijt is, hoor, maar je moet me niet gaan verwijten dat ik niet nadenk. Dat neem ik niet."
„Zo bedoel ik het toch niet!" riep Michael geschrokken, waarop Romana en Marek eensgezind in lachen uitbarstten.
„Zo ontstaan misverstanden," mompelde Michael. „Ik bedoel alleen maar, dat ik vanmiddag volkomen genoeg heb gekregen van die doorzon-toestand hier. Iedereen die stilstaat, kijkt van voren tot in de achtertuin. Ik moet het niet meer. Je hebt vandaag gezien hoe onvrij dat kan zijn... wat zeg ik... hoe onvrij het is..."
„O, bedoel je dat. Nou, ga dan liever verhuizen," meende de laconieke Kyra. „Ik wil dat maandenlang gebreek niet. Ik zit ermee, jij niet, zie je. Je laat het maar zo en anders ga ik een paar maanden in Het Boshuis zitten en bovendien, wat wil je nou... een verbouwing met een trouwerij in de naaste toekomst... ik wou je wijzer hebben!"
„Maar vrouwtje luister nou eens," smeekte Michael. Maar vrouwtjelief wilde helemaal niet luisteren en Romana en Marek slopen de kamer uit, nadat Michael en Kyra vaag „daag" gezegd hadden tegen Marek, die zei, dat het tijd voor hem was om naar huis te gaan.
„Krijgen ze daar nou echt ruzie over?" vroeg Marek bezorgd.
„Welneen, ze zijn gek op elkaar. Die kakelen daar nog rustig een halfuur over door en dan krijgt Kyra haar zin, dat is ook redelijk in dit geval," zei Romana opgewekt. „Als die twee ruzie maken vind ik het net een operette: er zit altijd een heel gek ondertoontje in, humor, nooit gemeenheid of echt beledigingen. Het

zijn altijd echte kameraden geweest en hun gekibbel stelt eigenlijk niets voor. Nooit verschil van mening lijkt me niet mogelijk en in ieder geval erg saai, dus zet je maar schrap. Kijk maar niet zo beduusd. Ik denk, dat je heropgevoed moet worden."
„Uw onderdanige leerling, mevrouw!" spotte Marek en kuste haar nog eens overtuigend voor hij wegliep achtervolgd door Romana's vrolijke lach. Ze voelde zich niet alleen gelukkig maar ook opgelucht nu de zware druk van gevaar, dat in iedere hoek loerde van haar afgenomen was. Eindelijk weer te kunnen gaan en staan waar ze wilde, onbekommerd in haar rode clipsie te kunnen rijden... niet meer dat nare en ongewone gegoochel met werktijden... Het was voorbij, het kwaad had haar maar even geraakt. Montez zou ongetwijfeld een groot deel van zijn leven van zijn vrijheid beroofd worden maar niet voor het onherstelbare kwaad, dat hij Marek had aangedaan. Gerechtvaardigde straf, ja... maar het maakte niets goed en gaf niets terug. Ze besefte opeens heel sterk, dat het leven met Marek niet altijd gemakkelijk zou zijn. Wonden kunnen helen maar het litteken blijft.

HOOFDSTUK 9

Het eerste nummer van 'Bos-Sprokkels' had heel wat deining veroorzaakt en was een groot succes gebleken. Het Boshuis floreerde trouwens.
„Ja," had Michael ernstig gezegd, „als je je voor iets inzet, niet alleen met je portemonnee maar ook met je hart, heeft de zaak meer kans van slagen... en dat doen Teun, Dirk en Rita. De vreemden die er logeren zijn goed af en onze familie heeft gelukkig Het Boshuis weer voorgoed ontdekt dankzij Romana's aktie. Er logeert tegenwoordig altijd wel iemand van onze familie, ook de jongeren."
„Dat komt voor een deel door de 'Bos-Sprokkels'," zei Roel tevreden.
„Dat krantje loopt als een trein. Voortaan is iedereen op de hoogte van alles wat binnen de familie gebeurt en dat is met zo'n grote groep altijd de moeite waard. We kunnen natuurlijk niet bij ieder nummer hopen op zo'n Romana-Marek-verhaal, maar in het volgende komt in ieder geval weer het verslag van een familiefeest. Niet gek, voor zo'n snertblaadje, twee familiefeesten en een spannend verhaal. Ze zijn allemaal gek op die sprokkel. Jelle had 'm

niet gekregen en die heeft er een soort strafvervolging van gemaakt. Wie, oh wie heeft verzuimd, enzovoorts, met een boze secretaresse van Jelle aan de telefoon. Zo zie je maar, als zo'n laconiekeling als Jelle zich druk gaat maken schiet hij ook meteen goed uit zijn slof."

Waarmee het succes van 'Bos Sprokkels' bevestigd was en men zich eensgezind opmaakte om de bruilof in Het Boshuis te gaan vieren.

Romana had, denkend aan het succes van haar vorige oproep, deze keer de telefoon te hulp geroepen. Ze wilde in dit geval liever geen briefjes, maar toch liefst zoveel mogelijk familie bij elkaar. Marek had geen familie meer, behalve een paar ooms en tantes, die van harte welkom waren, maar waarmee hij nooit contact had kunnen onderhouden, omdat hij vroeger niet in Nederland had gewoond en hij dat contact niet van zijn ouders had geërfd.

„Het doet me denken aan een andere feestdag, ook een bruidspaar in de postkoets," mijmerde Kyra. „Dat was wel iets anders, een bruidspaar dat in Het Boshuis hun vijftigjarige bruiloft vierde, oma en opa Deurzen. Het waren heel lieve, eenvoudige mensen en opa had oma voor hun vijftigjarige bruiloft willen fuiven op een weekje in een hotel, een luxe die ze nooit hadden gekend, een soort verre droom. Maar het viel hun tegen, want het was zo deftig, vonden ze, en natuurlijk veel te duur. We hadden het gelukkig meteen door, hebben het paar in de duurste kamers gezet en eregasten van hen gemaakt met een daverend feest en een kerkdienst, waar het bruidspaar met de koets heen werd gebracht. Het hele dorp liep uit. Het was een prachtig feest en we zijn tot aan het eind van hun leven dik bevriend met die mensen gebleven. Het is vreemd dat geen van de zussen vanuit Het Boshuis is getrouwd, maar we waren destijds ook nogal wat inzinkingen te boven gekomen. We waren Het Boshuis voor enkele jaren ontgroeid. Later gingen we er in de vacanties met rissen kleine kinderen van de familie heen, tot die kindertjes ouder werden en het verband niet meer zo zagen. Die crisis zijn we, dankzij Romana, te boven gekomen, dus vind ik het heel zinvol, dat zij vanuit Het Boshuis trouwt."

Merel en Alexander zouden er natuurlijk zijn als hun enige dochter trouwde. Romana had een duur telefoongesprek met haar moeder, waarbij Merel nostalgisch opmerkte, vergezeld van een diepe zucht: Het lijkt nog zo kort geleden en wat was het allemaal

romantisch... Nou heb ik niet eens tijd eens gezellig met jou over je trouwjapon te babbelen. Jij zegt alleen maar. Ik weet eigenlijk niet wat ik wil. Weet je eigenlijk wel, dat de doos met mijn trouwjurk nog ergens bij Kyra op zolder staat? Komen jullie daar wel eens, behalve als er wordt schoongemaakt?
Romana moest tot haar schande bekennen, dat ze geen flauw idee van de zolderschatten had en daar nooit kwam.
„Nou, vraag dan maar eens aan Kyra," riep Merel. Misschien kom je op een aardig idee. Ik moet nu ophangen, schat, want anders wordt je vader onaardig. Ik heb intussen meer dan honderd gulden vertelefoneerd."
„Wat maakt dat nou uit," zei Romana zorgeloos. „Dat mag best in dit geval. Ik ga meteen aan Kyra vragen waar ze die doos met jouw trouwjurk heeft gestopt."
Kyra hoefde er helemaal niet naar te zoeken maar kwam tien minuten later met een platte, wit kartonnen doos naar beneden.
„Alsjeblieft, het trouwgewaad van je moeder. Je zal vreemd opkijken, want jij denkt dat het van die aardige zijden fantasiekant is, die destijds zoveel werd gebruikt, nou, dat is niet zo, kijk maar!"
Romana wist niet wat ze zag en ging er even bij zitten, met de hand voor de mond van louter bewondering.
„Kant, uit dezelfde nalatenschap van onze tante, mooi hè?" Kyra had de jurk uitgespreid. „Het is Brusselse kloskant en heel kostbaar. Er waren drie heel brede stroken en die zijn strooksgewijs verwerkt op de wit zijden onderjurk en de vierde, veel kleinere strook is voor het bovenstuk gebruikt. Teun, die alle mogelijke relaties heeft, had een vriendin die kant kloste en die heeft de japon gemaakt, zodat er niets verloren ging en de kant zo voorzichtig en voordelig mogelijk werd verwerkt. Ik vraag me af..."
„Ja, hetzelfde wat ik me afvraag... waarom zoek ik nog naar een japon? Tenzij ik dikker ben dan mama was. Misschien kan ik haar jurken aan, dus... even passen..."
De prachtige kanten jurk zat als gegoten en Romana was er zo blij door en zo opgewonden, dat Marek, die even langs kwam, omdat Romana de volgende dag weer dienst had en een week zou wegblijven, lachend vroeg: „Op welk lot is de grote prijs gevallen?"
„Op het lot dat me jou gaf," zei ze adrem. „Zie je, Marek, dat er niets gebeurt zonder bedoeling al zie je die niet altijd. Ik kon maar niet beslissen over de kleding voor de grote dag. Het zat me niet lekker maar echt gebrek aan enthousiasme was het niet. Mama belde op en zei, dat ik de doos met haar trouwjapon van

de zolder moest halen. Die is het helemaal, een plaatje, van echt Brussels kloskant en dat is natuurlijk nooit uit de tijd... bovendien is ouderwets 'in'."
Kyra had de grootste moeite niet hardop te gaan lachen om Mareks gezicht. Het was duidelijk, dat hij het nu helemaal niet meer zag zitten: een postkoets als trouwvehikel en zijn bruid in een oude jurk van haar moeder en hij, die eerlijk had verzwegen een intense hekel aan 'vertoningen' te hebben.
„Ik vind het allemaal best," zei Marek en keek naar z'n aanstaande bruid. Ze was mooi en lief en hij was zo dol op haar, dat hij heel veel voor haar over had maar er waren grenzen.
„Ik vind het allemaal best," herhaalde hij met verheffing van stem. „Als je maar niet van MIJ verlangt, dat ik me in een of ander antiek pakkie steek want dat vertik ik. Ik ga niet voor gek lopen."
„Niemand kijkt immers naar jou," merkte Kyra hardvochtig op.
„Ja hoor, jij moet in een pak uit de tijd van Charles Dickens," zei Romana met een effen gezicht, maar toen ze de ontzetting in zijn ogen zag groeien tot intense afschuw, schoot ze in de lach. „Neen, malle... natuurlijk niet. De geijkte nette bruidegom, daar ontkom je niet aan. Je kunt natuurlijk niet in een postkoets en met een bruid in Brussels kant verschijnen in een echt moderne uitrusting, die ik anders best leuk vind. Maar het kan in dit geval niet, begrijp je wel?"
„Ja," gaf Marek aarzelend toe en wist, dat hij zich pas weer echt gelukkig zou voelen, op het ogenblik, dat alle soesah voorbij was en hij met Romana voor een paar weken naar de Scilly's kon vertrekken. Michael en Kyra zouden de zorg voor Marjory op zich nemen. Hoewel Marjory zich van niets bewust was, ging Marek niet van dat standpunt uit en wilde hij beslist, dat ze bezoek kreeg en er iemand was, waaraan men onmiddellijk de wensen betreffende haar verzorging kon kenbaar maken. Daarom zou Kyra samen met Michael die taak op zich nemen, zodat Marek onbezorgd op reis kon gaan.

Zelfs het weer werkte mee op die zomerdag in juli. Boshegge stond in het teken van de bruiloft. Het Boshuis kon niet alle gasten bergen en een deel van de mensen logeerde in hotel 'Union' want de hele familie en een grote vriendenkring was gekomen. Merel en Alexander genoten van een vijfdaagse vakantie. Romana merkte tactvol op: „Ik ben in het gelukkige bezit van

twee bruidsmoeders en twee bruidsvaders maar ik wil graag een paar aan mijn lieve Marek lenen, mag dat?"
„Dat zijn wij dan," zei Merel, en sloeg haar arm om Marek heen. Ze ging op haar tenen staan en kon zo Marek een stevige zoen op zijn wangen geven.
„Kyra en Michael zijn altijd moeder en vader voor je geweest, dat nemen we ze op zo'n belangrijke dag niet af. Tenslotte wordt Marek onze zoon, dus we zijn gewoon je ouders."
Hoewel Marek er op dat ogenblik weinig commentaar op had, eenvoudig omdat de spontane hartelijkheid van Romana's ouders hem overweldigde, hadden de drie mensen vanaf dat ogenblik een hechte band, die door niets meer verstoord kon worden. Het was geen leeg gebaar en evenmin waren het inhoudloze woorden geweest van Merel. Alexander was, evenmin als Marek, een man van veel woorden, dus liet hij het bij een ferme klap op Mareks schouder. „Dat betekent een ridderslag," fluisterde Romana hem in, met ondeugend sprankelende ogen. Omdat Marek beslist niet uit de toon wilde vallen had hij zich aan Kyra's advies gehouden en verscheen hij op de morgen van de trouwdag in officieel parelgrijs costuum. Maar hij weigerde absoluut de grijze 'hoge zije' die erbij hoorde op zijn hoofd te plaatsen; dat was net de druppel waardoor de emmer zou gaan overlopen, dus sprak Merel het 'moederlijk' woord: „Ach, laat die jongen toch... Zijn haar is toch veel mooier dan die idiote hoed. Als hij 'm dan maar een tijdje netjes in z'n hand houdt; waarschijnlijk vergeet je het ding onmiddellijk, zo maar ergens. Nietwaar, Marek?"
„Ja, ik heb trouwens nog nooit een hoed opgehad," mompelde Marek. Hij keek naar buiten en zag, dat de postkoets voor was gereden en de twee paarden waren uitgerust met prachtige blinkende zilveren tuigen. Het had stijl en het paste in deze omgeving.
„Ga jij je bruid nou maar halen." Kyra duwde hem naar de trap. „Ik snap trouwens niet waar dat kind blijft..."
Romana was zo verrukt van haar eigen spiegelbeeld, dat ze daar nog steeds ongelovig naar stond te staren. Een keurig stewardessen-uniform mocht dan flatteus zijn maar een droomjurk van Brusselse kloskant was niet te versmaden. Je werd er meteen onwaarschijnlijk mooi mee. Datzelfde dacht en zei Marek ook, toen hij door Lon binnen was gelaten.
„Wat prachtig!" zei hij uit de grond van zijn hart en vouwde zo voorzichtig zijn armen om haar heen, dat ze aanmoedigend zei:

„Ik breek niet als je me gewoon in je armen neemt en behoorlijk kust."
„Ik vind je zo onwerkelijk mooi en ben bang, dat ik je mooie haar met al die witte spulletjes bederf." Hij kuste haar omzichtig.
„Witte spulletjes oftewel prachtig vers wit gipskruid," murmelde 'eredame' pleegzus Lon ondeugend op de achtergrond. „Jij ziet er ook erg netjes uit. maar waar heb je de bloemen gelaten?"
„Welke bloemen?" vroeg Marek wazig, hij kon zijn ogen niet van Romana afhouden en verkeerde compleet in hoger sferen.
„O, nee toch..." Lon wrong haar handen. „Jouw bloemen voor je bruid..."
Ze hield het woord 'sufferd' op het nippertje binnen. „Waar heb je die bloemen gelaten? Word alsjeblieft eens wakker, broer!"
„Ik weet het niet... ergens... witte rozen en... eh... hoe het dat spul... witte rozen en... en stefanotis. Ze liggen ergens beneden," zei Marek bedremmeld.
„.O juist... ja." Lon staarde hem aan. „Ja, dat is duidelijk."
Aangezien de bruid geen sleep of sluier had en kant niet kreukt, ging Romana er ongedwongen op haar gemak bij zitten.
„Ga je bloemetjes maar zoeken, schat," zei ze lief. „Ik wil ze toch wel graag hebben voor we naar beneden gaan."
Kyra kwam kloppen en vroeg ongeduldig: „Waar blijven jullie nou allemaal?"
„Marek weet niet, waar hij het bruidsboeket heeft gelaten." Lon gierde het uit en kon zich niet langer goed houden. „Ben jij iets van rozen en stefanotis tegengekomen? Dadelijk hebben de honden 'm nog opgepeuzeld..."
„'t Zal niet waar zijn," siste Kyra tussen haar tanden. „Hier gebeurt altijd iets geks. Waar kan... o, Merel... jij redster in de nood."
De moeder van de bruid, mooi en sereen in een eenvoudig groen zijden japonnetje, om haar hals en in haar oren de diamanten druppels, kwam binnenwandelen met het bruidsboeket.
„Het lag in de keuken. Hoe het daar kwam, weet ik ook niet. Pak aan, jongen."
Ze duwde de bloemen in Mareks handen, knikte vriendelijk en bemoedigend en verdween weer. Kyra en haar dochter trokken ook af.
„Nou, je kunt wel zeggen: eindelijk alleen." Marek trok zijn bruid uit de stoel en legde de bloemen in haar handen. „Zullen we dan maar naar beneden gaan? Je ziet er beeldschoon uit en ik had

nooit durven denken dat een jurk van kant zo schitterend zou kunnen staan."

„Is de plankenkoorts over?" Ze trok hem mee naar de deur. „Ik vind jou ook bijzonder imponerend in dit deftige grijs. En nu de eretocht door het dorp in de koets!"

Zachtjes schoof Merels hand in die van Alexander, toen hun dochter de trap af kwam.

„Het is alsof ik jou zie," zei Alexander zachtjes, „wat lijkt ze op jou!"

Het bruidspaar liep naar buiten en had het eerste ogenblik alleen maar oog voor de prachtige koets, met Dirk op de bok. Zijn zoon stond trots bij het portier en klapte met een geroutineerd gebaar het trapje uit.

„Ik mag haar naar binnen helpen," zei hij kortaf en duwde Marek achteruit, tot groot vermaak van allen die het zagen. „Dat heeft papa zelf gezegd."

„Dan moet dat ook gebeuren," gaf Marek onmiddellijk royaal toe. „En je doet het keurig."

Ze reden onder gejuich weg en toen de koets door het dorp reed, deze keer niet in galop, maar met rustige stap, hadden ze de indruk, dat het grootste deel van de dorpelingen langs de weg stond en het ontbrekende deel bij de kerk. Tegen de tijd, dat de koets vlak voor de kerk stopte, kwam een deel van de mensen langs de weg weer aanhollen om de aankomst bij de kerk niet te missen, waardoor een min of meer chaotische toestand ontstond. De bruiloftsgasten konden de kerk haast niet bereiken, zodat het bruidspaar liever hoog en droog in de postkoets bleef zitten, tot daar beneden met hulp van twee politiemannen en de koster enige orde was geschapen en de gasten eerst allemaal naar binnen waren geloodst.

„Toch een goed idee... die koets," fluisterde Marek zijn bruid in het oor. „Ik lach me gek, het hele deurp staat op z'n kop! Het zal toch wel een heel bijzonder gezicht zijn. Ik hoop maar, dat ze behoorlijke foto's maken. Kom, mijn schat, we mogen uit ons gouden kooitje!"

Deze keer liet Marek het zich niet afnemen zijn bruid heel stijlvol uit de koets te helpen. De dienst was eenvoudig en heel mooi. Bijzondere toespelingen had Romana willen vermijden, omdat ze dit voor Marek pijnlijk vond. Daarom had ze tevoren met klem verzocht: Geen toespraak waarin het lot van zijn familie wordt genoemd.

„Het gaat om ons," had ze bij een voorbespreking tegen de geestelijke gezegd. „Wij moeten samen een nieuw leven opbouwen. Ik wil ook geen verhaal over mijn pleegouders en altijd afwezige ouders. Dat zou, wat mij betreft wel mogen, maar dan slaat de weegschaal naar één kant door... dus liever niets, althans niets persoonlijks." Ze hield trouwens niet van preken en ook niet van lange toespraken. De geestelijke had haar eigenwijs gevonden maar ze was niet te vermurwen.

Merel dacht aan haar eigen huwelijk en de pijn, die ze had gevoeld om Lon, die afstand had gedaan van Alexander. Ze keek even naar Lon, die naast haar zat. Ze glimlachten tegen elkaar. Lon was destijds niet bij Merels huwelijk geweest, dat had ze niet kunnen opbrengen en nu, zoveel jaren later, was ze getuige bij het huwelijk van Merels en Alexanders enige... Het was goed zo, ze was immers heel gelukkig geworden met Oscar, al kon ze haar eerste grote liefde nooit vergeten; vooral niet daar ze hem, door de jaren heen wel niet veel maar toch telkens bleef ontmoeten omdat hij tot de familie behoorde. Ze hadden geen van drieën ooit spijt gehad van hun besluit; ze hadden tenslotte twee jaar nodig gehad om dat besluit te nemen.

Omdat de familie in Het Boshuis wel genoeg aan zichzelf had en Teun voor een uitgebreide feestelijke tafel zou zorgen, zou men in de pastorie van de kerk gelegenheid tot gelukwensen geven. Dat liep enorm uit de hand, aangezien letterlijk heel Boshegge een handje kwam geven. Het huwelijk was blijkbaar de sensatie van het jaar en de jeugd, zowel die van Het Boshuis als uit het dorp, die overal doorheen crosste, maakte de situatie ook niet overzichtelijker.

„Kan iemand al die kinderen niet bij elkaar vegen?" bromde de oude koster onvriendelijk, want hij moest de rommel tenslotte later weer opruimen.

Nou, daar zag niemand kans toe en Marek fluisterde Romana in het oor: „Ik heb me in tijden niet zo geamuseerd." Hij gaf tersluiks een kus op haar oor.

„Blij, dat je zoveel gevoel voor humor hebt!" blies ze terug om meteen weer haar liefste glimlach tevoorschijn te toveren voor de directie van hotel 'Union'.

De terugtocht in de koets werd een ware triomftocht. Kinderen holden juichend mee en Romana wuifde vriendelijk naar alle kanten.

„Ik voelde me de koningin in de gouden koets," zuchtte Romana,

toen ze eindelijk weer bij Het Boshuis stopten.
Marek tilde zijn koningin uit de postkoets. Ze haastten zich naar binnen, waar ze opnieuw in de feestvreugde terecht kwamen maar gelukkig iets matiger.
Het was de bedoeling dat Romana en Marek om drie uur weg zouden gaan maar Romana wilde een uur eerder weg.
„Ben je gisteren nog bij Marjory geweest?" vroeg ze en toen hij knikte aarzelde ze even met antwoorden.
„Ik wil voor we weggaan ook nog even naar haar toe, als je dat ten minste niet vreemd of overdreven vindt, Marek?"
„Ik vind niet gauw iets gek of overdreven van jou." Hij legde zijn arm om haar schouders en zijn stem klonk innig tevreden en gelukkig. „Wat ik zo in je waardeer is, dat je altijd jezelf blijft, zelfs op deze toch wel erg ruisende en bruisende dag. De bruid is een poel van rust en, ja, ook van humor en vriendelijkheid. Heb ik je al eens verteld, dat ik vanaf het eerste ogenblik in je was geïnteresseerd, vooral om de rustige charmante wijze waarop je dat incident met Montez de baas bleef. Ik geloof, dat het toen begonnen is."
„Je keek niet eens vriendelijk," hielp ze hem herinneren. „Een tikje spottend, meen ik me te herinneren. Je wilde natuurlijk niet meteen toegeven, dat je me wel aardig vond."
„Meer dan aardig, lief en dat vind ik nog steeds," zei Marek warm. Hij keek haar, diep in gedachten verzonken na, toen ze wegliep om zich te gaan verkleden.
„Marek, wat sta jij te dromen! Wil jij soms op reis gaan in feestkledij?"
Merel tikte hem op de schouder. „Moet jij je ook niet gaan verkleden?"
„Ja, ik ga me verkleden. Ik stond zo diep in gedachten, dat ik even alles om me heen vergat, weet u..." Hij aarzelde, wilde toch maar liever zijn gedachten niet uitspreken, maar Merel zei, en het klonk een beetje grappig en ook ontroerend: „Zeg het maar aan je moeder, jongen."
Ze was meer dan een kop kleiner dan de stoere Marek en leek beslist niet de uitgesproken moederfiguur, maar was het wel. Ze had dezelfde warmte, hetzelfde begrip en de zachte humor, die hem in Romana vanaf het begin zo had aangetrokken. „Een levenspatroon kan soms heel vreemd zijn. Natuurlijk gebeuren er in ieder leven wonderlijke dingen, je begrijpt ze niet... Er is maar één mens waar ik een afgrond-diepe afkeer van heb. Ik hoef niet

te zeggen wie dat is, ik kan z'n naam nauwelijks over m'n lippen krijgen. Het is duidelijk waarom ik dat zo voel, en uitgerekend door dit... eh... door deze genadeloze figuur, ben ik opmerkzaam geworden op Romana, het liefste wat het leven me nog kon geven na alles wat er gebeurd is. Het is werkelijk geen pluspunt voor hem. Het is alleen vreemd, dat het zo moest gaan. In ieder geval heeft Romana me uit een heel diep dal getrokken, alleen al omdat ze er is."

„Ja," Merel legde haar hand op zijn arm en haar wonderlijk groene ogen glansden verdacht, „ja, en als je er niet zo voor had gevochten, dan zouden we deze dag niet hebben beleefd, dan was Romana er niet meer geweest. Ik heb het niet geweten en achteraf bezien ben ik daar blij om, maar Alexander en ik hebben een paar heel moeilijke uren beleefd, toen we hoorden wat er gebeurd was en verder had kunnen gebeuren. Dankzij jouw oplettendheid is het goed gegaan en daarom... niet alleen daarom... maar toch... we houden echt van je, Marek. Dat wilde ik je toch nog even meegeven."

„Ik houd ook van jullie. Dank je, mama." Hij bukte zich en kuste haar haastig op haar wang, waarna hij zich plotseling omdraaide en er vandoor ging.

„Een apartje met onze schoonzoon?" vroeg Alexander, die naar hen had staan kijken. Hij boog zich naar Merel over. „Wat is er, Mereltje?"

„Ik denk dat niemand, behalve Romana, heeft beseft hoe eenzaam die jongen is geweest." Merels stem en ogen hadden iets afwezigs. „Misschien kon Romana het zo goed aanvoelen omdat ze altijd met een zeker heimwee naar ons heeft geleefd. Niet eenzaam, o neen, God zij gedankt, niet eenzaam maar toch... Dat was van onze kant immers ook zo, Alex... Ik zou Romana het liefst over heel de wereld hebben willen meenemen. Romana en wij zijn nooit een gezin geweest. Ik beklaag me er niet over maar ik wil alleen maar zeggen, dat ik Romana begrijp, en Marek."

„Ik weet het," zei Alex en legde zijn arm om haar schouders. „Ik weet alles van jou, na zoveel jaren van samen door de wereld trekken. Ik heb nergens spijt van, het was en is de moeite waard."

Boven tikte Marek op de deur van Romana's kamer. „Ben je klaar? Het wordt tijd om te vertrekken."

„Ja, kom binnen. Je hoeft niet meer zo netjes te kloppen," plaagde ze.

„Nou eh..." Marek keek om zich heen en schoot in de lach. „Je

hebt er een bescheiden puinhoop van gemaakt. Je hebt alles uitgeruimd maar niets opgeruimd!"
Hij nam de kanten jurk van de grond en legde die zorgzaam over een stoel.
„O, ze ruimen straks wel op," zei Romana zorgeloos en pakte haar tas en een klein pakje, dat in zilverfolie was gewikkeld, waarna ze langs hem heen naar de deur liep. „Kom je, Marek? Ik hoop dat ons zo'n idiote uitrit bespaard blijft."
„Heb je nog een minuut, hier dan!" Marek kuste haar stevig. „En nou hand in hand hollen, er vandoor... misschien zien ze niets. Jij hebt toch ook al afscheid genomen van de vier ouders en Teun? Ja, goed, daar gaan we!"
Romana graaide haar tas en haar pakje opnieuw bijeen maar helaas, het mocht niet baten. Er was de jeugd beloofd, dat ze bij het afscheid met rijst mochten gooien, dus lagen ze allang in hinderlaag. Er had nog geen mug doorgekund zonder dat die door de verzamelde jeugd gesignaleerd was.
Er werd gelukkig niets verricht met rammelende blikjes, oude schoenen achter de auto of een of ander schild met 'Just married', maar de rijst kletterde letterlijk over hun hoofden.
„Grote genade, er moet in de hele omgeving geen korrel rijst meer te koop zijn," hijgde Romana. „Alsjeblieft... ze hebben nog meer... rijden!"
De wagen stoof onder gejuich weg, om vijf minuten later in een stille laan stil te staan, waar het nieuwbakken echtpaar rijst moest schudden. De korrels zaten overal in haren en kleren.
„Ik denk, dat we een spoor van rijstkorrels nalaten." Romana gierde het uit. „Ik kauw er zelfs op, en er hangt er een in m'n oogharen..."
„De wagen ligt vol, maar die blijft toch op de parkeerplaats staan."
Marek plukte liefdevol de rijstkorrel uit haar oogharen. „Staat eigenlijk best maar het lijkt me niet zo comfortabel, rijst in je ogen."
Ze stapten weer in en glimlachten tegen elkaar. Kussen kon niet, want ze waren vandaag het middelpunt van het dorp en, stille laan of niet, er werd weer druk gegluurd.
„Ach, waarom eigenlijk niet. Doe ze het plezier." Marek trok zijn bruid in zijn armen en kuste haar met vuur en overtuiging. Ergens achter hen klonk een bescheiden applausje. Romana knikte vriendelijk tegen het oude dametje, dat bij het tuinhek

met stralende oogjes naar hen stond te kijken.
Daarna reden ze, met honderden rijstkorrels als ballast, in een vaart naar het witte huis waar Marjory haar plantenleventje sleet. De stilte die hier op hen viel was zo'n schril kontrast met de drukte, de opwinding, het gelach en de vele stemmen die doorelkaar praatten, dat Romana begon te fluisteren en op haar tenen ging lopen.
„Dat hoeft niet, schat," zei Marek. „Praat maar gewoon. Wat houd je toch zo krampachtig in dat zilverpapier vast?"
Ze schudde haar hoofd en liep, opnieuw met een gevoel van beklemming de stille, lichte kamer binnen waar niets veranderd was en waarschijnlijk lang, onvoorspelbaar lang, niets zou veranderen. Marjory zou ouder worden maar het niet weten. De tijd zou onbarmhartig doorgaan. Wist ze werkelijk niets, voelde ze niets? Die gedachten gingen voortdurend door Romana's hoofd, nu ze weer aan het bed stond en naar het meisje keek... een mooi meisje, met stralend blond, goedverzorgd haar, dat zijn levenskracht nog niet had verloren, dat nog glansde. Romana wikkelde het zilverfolie los: drie witte rozen uit haar bruidsboeket, met een van de satijnen linten samengebonden. Ze boog zich over Marjory en legde het kleine boeketje tegen Marjory's wang.
„Welkom in ons leven, lieve Marjory," fluisterde ze. „In mijn leven... want je bent al in het zijne... Misschien ruik je de lucht van de rozen."
Ze streek heel voorzichtig met een vinger over Marjory's wang. Drie rozen... Marek keek ernaar, tot het wazig werd voor zijn ogen.
„Drie... geloof, hoop en liefde, maar de liefde, is 't voornaamste..."
Ze bleven nog even staan, ieder in hun eigen gedachten verdiept. Toen strekte Marek zijn hand uit en nam Romana's hand in de zijne.
„Kom, liefste, we moeten gaan. Ik ben blij, dat we hier zijn geweest..."
Er kwam een jonge zuster binnen. Romana lachte tegen haar en vroeg zachtjes: „Mogen de rozen nog een poosje bij haar blijven? Het betekent heel veel voor ons... mag het?"
„Natuurlijk mag het... ik zorg vandaag voor Marjory... de rozen mogen natuurlijk blijven... veel geluk, allebei!" Het vriendelijke gezicht onder het witte kapje lachte hen toe.

Romana keek nog even om voor ze de deur sloot. Ze had het onverbrekelijke deel van Mareks leven volledig aanvaard.
Op weg naar het vliegveld waren Romana en Marek stil, maar het was een goede, warme stilte, die saamhorigheid betekende.
Aan boord van het vliegtuig gaf de dienstdoende stewardess, een goede bekende van Romana, haar een snelle knipoog maar ook niet meer. Het was wel erg druk maar overdreven hartelijk vond Romana haar gedrag toch niet. Ze had Joanne altijd een van de aardigste collega's gevonden, maar ze zat nauwelijks of Joanne boog zich naar hen toe, en met een ondeugende tinteling in haar ogen, zei ze medelijdend: „Ik geloof, mevrouw van de Mortel, dat u nog nooit hebt gevlogen en dat dit uw luchtdoop is?"
Ze legde een miniboeketje viooltjes op Romana's schoot.
„Dank je, Joanne. Wat enig! Ik dacht al, dat je me niet meer als collega en vriendin wilde... Eh... dit is mijn man. Het moet nog even wennen, we zijn pas een paar uur getrouwd."
„Ik begrijp het," zei Joanne en schudde Marek de hand. „Niet verder vertellen, maar u hebt een van de leuksten er uitgepikt."
„Die indruk had ik ook," antwoordde Marek laconiek en Joanne liep lachend door.
Het was de bedoeling, dat Romana zou blijven werken. Hun woning bestond voorlopig uit het flatje, dat Marek bewoonde. Romana had het geen gezellige woning gevonden maar er met kunst en vliegwerk en Kyra's hulp iets van gemaakt, dat door Marek nauwelijks herkend werd als zijn voormalige onverschillige onderkomen.
„Het is toch niet voor jaren en als we voorlopig maar een gezellig eigen plekje hebben," had Romana gezegd. „Ik ben niet veeleisend en vind het veel leuker langzamerhand iets op te bouwen. Ik hoef niet opeens een prachtig ingericht huis, van alle gemakken voorzien. Waarom?"
Veel van haar samenwonende collega's hadden verwonderd gevraagd, waarom ze zo vlug ging trouwen.
„Ik heb de vaste indruk, dat ik Marek nooit meer kwijt wil, dus waarom zou ik het plan om met hem te trouwen, dan niet meteen uitvoeren?" was Romana's wedervraag geweest. „We durven het samen aan en de rest ligt in ieder geval, ook voor jullie, in de toekomst en daar kunnen we geen van allen in kijken, alleen maar het beste van hopen en er aan werken. Je moet altijd doen wat je echt wilt en het best vindt. Nou, dat was voor ons te trouwen. Marek heeft een echt gezin nodig. Ik ben nog wel geen

'gezin' maar dat komt nog wel. Ik ken mijn Marek en zijn achtergrond... die weten jullie niet."
Romana vond het maar vreemd bediend te worden in plaats van zorgend rond te lopen. Ze keek naar Marek en legde haar hand op zijn arm.
„Je kijkt zo ernstig en dat kan ik me best voorstellen. Ben je echt een beetje blij, een beetje gelukkig of heb je toch spijt van de trouwerij, in de postkoets nog wel. Vond je het een erg overdreven toestand?"
Mareks ernstige gezicht klaarde op. Hij boog zich naar haar toe en kuste haar speels op haar neus. „Mevrouw van de Mortel, geloof me nou maar, ik vond het een perfecte dag, met postkoets en kilo's rijst, precies zoals het was, en met juwelen van schoonouders en het voornaamste... met een vrouw als jij. Ik keek ernstig omdat ik dacht... Marek, je hebt veel verloren maar je hebt toch veel teruggekregen."
Romana stak haar arm door de zijne en leunde met haar hoofd tegen zijn schouder. „Marek, ik wil dat je weer een gelukkig mens wordt, zoals je misschien vroeger, lang geleden, bent geweest. Zo onbezwaard als vroeger kan niet meer, dat begrijp ik, maar een mens krijgt toch meer kansen en we moeten zuinig zijn op die kans... Ik houd van je Marek."
„Romana," Marek boog zich dicht naar haar toe. „Ik kon er niet meteen over praten, maar, dank je voor Marjory."
„Ik meende het zo intens, omdat ik van jou houd," zei Romana eenvoudig.
„Ik wilde zo maar iets doen omdat ze er toch bijhoort, bij jou, bij ons, daarom... Die rozen geurden zo heerlijk. Ik dacht, wie weet, wat er wel of niet doordringt, misschien niets, maar we weten zo weinig. Ik meende het, Marek, ik wilde niet zo maar een gebaar maken."
„Dat weet ik," zei Marek. „Ik weet het mijn liefste, het dal was diep... maar ik ben weer op de top van de berg geklauterd... Ik geloof niet dat je het zonder hulp kunt. Ik heb vanmorgen nog tegen je moeder gezegd, dat het patroon vaak zo ingewikkeld is, dat een mens langs vreemde wegen moet lopen, maar jij bent er nu."
Hij zag nog steeds de drie witte rozen tegen Marjory's gezicht... geloof, hoop en liefde, maar de liefde is 't voornaamste... en haar naam was Romana.